THE BROONS®

ALGEBRA

Published by D.C. Thomson Annuals Ltd in 2015
D.C. Thomson Annuals Ltd, 185 Fleet Street London EC4A 2HS

THE BROONS THEY ARE A KINDLY CREW,
A MAN'S IN NEED, THEY KEN WHIT TO DO.

LOOK AT THON POOR SOWEL RAKIN' IN THE BIN FOR SOMETHING TAE EAT AND ON BOXING DAY TOO.
THAT'S AWFY! I'M GOING TAE FETCH HIM UP.
COME WI' ME, MANNIE. THERE'S NAE NEED TAE RAKE THE BINS AT CHRISTMAS TIME.
BUT... I'M LOOKIN' FOR...
IN YOU GO AND SIT BY THE FIRE.
THE BROONS KEN HOW TAE LOOK EFTER FOWK.
BUT... BUT...
WHEESHT! SAY NAE MAIR ABOOT IT.
THIS DRAM WILL WARM YOU UP.
IT'S LEFT OVERS FRAE YESTERDAY BUT MAW'S A DAB HAND WI' LEFT OVERS.
IT DOES SMELL RICHT BRAW.
AND A WEE HELPIN' O' SHERRY TRIFLE TAE FINISH AFF.
I'LL HAE TAE GO EFTER THIS.
TAK' THIS COAT AND SCARF, I GOT THEM YESTERDAY BUT YOUR MAIR NEEDIN' THEM THAN ME.
IT'S GUID TAE DAE OOR BIT.
TAK' CARE AN' TRY TAE KEEP WARM.
AYE.
ROSS MACTOSH! I SEND YOU OOT TAE SEE IF I'VE THROWN MEH CHOCOLATES IN THE BIN BY MISTAKE. YOU'RE AWA' TWA HOURS, COME BACK SMELLING O' DRINK, WEARIN' SOMEBODY ELSES CLAES AND NO WANTIN' ANY DINNER. YOU'RE A DISGRACE!
WISH I HAD STAYED WI' THAE BROONS.

SOME COUNTRY AIR WILL DO THE FAMILY GOOD,
CLEAR THE WAY FOR YET MAIR FOOD.

I NEED VOLUNTEERS TAE HELP WI' THE SHOPPIN'. YE GLUTTONS HAE EATEN ME OOT O' HOOSE AN' HAME.
DINNAE MENTION FOOD TAE ME. AH THINK I'M GONNAE BURST.
YE'LL NO' NEED TAE BUY FOOD THIS WEEK. WE'VE BEEN EATIN' NON-STOP SINCE CHRISTMAS EVE.
WHIT WE NEED IS A GUID WALK OOT TAE LINTIE LOCH. THAT'LL BURN AFF A FEW CALORIES.
LINTIE LOCH? THAT MILES AWA'.
AH CAN HARDLY STAND, LET ALANE WALK.
BUT -
YE'RE RICHT, PAW. A BRISK STROLL WILL HELP US WORK AFF A' THON TURKEY AN' TRIFLE.
AN' HERE'S A BONNIE DOG TAE KEEP US COMPANY.
IT'S MEBBE BONNIE, BUT IT ISNAE FRIENDLY. KEEP IT AWA' FAE ME.
IT'S BEN, FERMER GRAY'S SHEEPDOG. HE'S TRYIN' TAE ROOND US UP.
KEEP MOVIN' OR IT'LL NIP YER ANKLES.
RUFF!
A WEE WALK, HE SAID. THIS IS MAIR LIKE RUNNIN' IN THE OLYMPICS.
AYE, BUT STEP ON IT! THE BRUTE'S GETTIN' CLOSER.
HA! HA! BEN'S PENNED YE. HE SAW YER WHITE COATS AN' THOCHT YE WERE SHEEP. NEVER MIND, THE EXERCISE'LL HAE DONE YE GUID.
I'VE CERTAINLY WORKED UP AN APPETITE.
ME TAE. I MUST'VE LOST ABOOT FOWER STANE - AN' I'M STERVIN'.
THAT WIS A BRAW IDEA O' YOURS NO' TAE GO SHOPPIN'. ME AN' THE BAIRN HAVE HAD A RARE TIME.
WHIT? D'YE MEAN THERE'S NAE FOOD IN THE HOOSE?
BUT WE'RE STERVIN'.
THON BAKED TATTIE'S THE ONLY THING LEFT TAE EAT. TAILS I HAE FIRST BITE, HEADS...
MA STOMACH THINKS MA THROAT'S CUT. I'LL NEVER SLEEP ON AN EMPTY STOMACH!
WELL, THERE'S PLENTY O' THEM IN HERE!!

SPLUTTER
TEA

WHERE ON EARTH TAE GET SOME REST?
WHY IN THE HOOSE THAT MAW KENS BEST.

CHRISTMAS AND NEW YEAR HAVE BEEN AWFY BUSY. I'M FAIR DONE IN.
WHAT YE NEED IS A WEE BREAK. WE'LL HAE A WEEKEND AWA'.
AYE, HOOSEWORK IS NEVER ENDIN'.
WE COULD GO TAE THE BUT AN' BEN.
THAT'S NAE REST FOR MAW. WE NEED A NICE HOTEL WI' A POOL.
AND A POOL ATTENDANT.
YOUR COUSIN DOD HAS ASKED US TAE THE BIG BOOLIN' FINALS UP NORTH THIS WEEKEND. WHA FANCIES COMIN'?
THAT WID BE BRAW AND IT WIDNAE COST ONYTHING.
TSK! LOOK AT THE STOOR YE'RE WALKIN' IN.
AULD SKINFLINT.
WE WANT TAE GO TAE SPACEWORLD.
I FANCY HIKING.
WHEESHT, THE LOT O' YE. IT'S MAW THAT NEEDS THE REST SO SHE CAN PICK WHAUR TAE GO. THOUGH I KNOW YE LIKE WATCHIN' BOOLS, MY PET.
CRUMBS GET EVERYWHERE.
I CHOOSE THE BUT AN' BEN, SPACEWORLD AN' A HOTEL AN' THE BOOLS.
HAUD ON, I CANNAE AFFORD FOR US TAE GO A' WHERE.
HEN AN' JOE CAN TAKE HORACE HIKIN' UP AROOND THE BUT AN' BEN. PAW AND GRANPAW CAN GO TAE THE BOOLS. DAPHNE AND MAGGIE CAN TAK' THE TWINS AND GET A NICE HOTEL BESIDE SPACEWORLD.
AN' YOU AN' ME CAN HAE A WEEKEND ON OOR AIN, MY WEE LAMB. THAT'S WHAT I CALL A REAL REST.
AYE, AND AS SOON AS I GET MY BAIRN AFF TAE SLEEP, I'LL GET MY FEET UP TAE.

PAW HAS A BITTER PRICE TAE PAY,
FOR MEDDLING WI' MAW'S WASHING DAY.

SORRY ABOOT THIS, BUT IT'S OWER CAULD TAE HING THE WASHIN' OOTSIDE.
MICHTY! IT'S LIKE ACT ONE O' 'THE STEAMIE'. I CANNAE PIT UP WI' THIS.

SO -
YE MUST BE GETTIN' SAFT, MAW. I'VE HUNG A'THIN' OOT FOR YE. FREEZIN' WEATHER DOESNAE BOTHER ME.
IT'S NO' ME I'M WORRIED ABOOT, YE DAFT GOWK...

... IT'S THE WASHIN' THAT DOESNAE LIKE THE CAULD! FIVE MEENITS OOT THERE AN' IT'S FROZEN SOLID.
MICHTY. I SEE WHIT YE MEAN.

SOON -
I'VE MADE YE AN AULD-FASHIONED PULLEY. HING THE WASHIN' ON IT AN' IT'LL KEEP THAE SHEETS AN' THINGS OOT O' OOR HAIR.
THE VERY DAB, PAW.

JINGS. WHIT WIS THAT?
PUSH!
WATCH WHIT YE'RE DAEIN', YE BIG GALOOT.

CRIVVENS. THE PULLEY'S GONE RICHT THROUGH THE WINDAE.
CRASH!

WE'LL NO' GET THAT REPAIRED THE DAY. NO' ON A SUNDAY.
HAUL IT BACK IN. QUICK.

GET ANE O' THE SHEETS AN' HAND ME A PUCKLE CLATHES PEGS.
WHIT'S HE UP TAE NOW?

ICY BLAST!
PIT ANITHER LOG ON THE FIRE, HEN. IT'S GETTIN' CHILLY IN HERE.
THE STEAMIE? MAIR LIKE SCOTT O' THE ANTARCTIC, THANKS TAE THAT DAFT AULD GOWK.
WHA'S SCOTTY-ANN TARTIC?

WI' ITS GAUDY CHECKS AND FANCY HUE,
PAW'S NEW BUNNET WILL NOT DO.

I'M FED UP WI' YOU WEARIN' THAT TATTY AULD BUNNET. THIS ANE'S FAR SMERTER.
WHIT? I WIDNAE BE SEEN DEID IN THAT AWFY THING.

BUT–
THERE YE ARE. NOW YE DINNAE LOOK LIKE AN AULD TRAMP.
MEBBE NO' - BUT I LOOK LIKE A PROPER EEJIT INSTEAD. I'M AWA' HAME BY THE BACK STREETS SO NAEBODY'LL SEE ME.

YE SHOULD HAE PIT YER FIT DOON, BROON. ARE YE A MAN OR A MOOSE?

AWA' YE GO! I'M A MAN AN' I'LL WEAR WHIT I LIKE.

PIZZAS R US
MICHTY!

ONE SPECIALITY PIZZA READY FOR DELIVERY.

LIKE BP IN THE GULF I COULDNAE KEEP A CAP ON MY OILY HEID. IT SLID AFF AN' A GUST O' WIND BLEW IT STRAIGHT INTAE THE RIVER. IT'LL BE MILES AWA' BY NOW
I'LL GIE YE FULL MARKS FOR IMAGINATION, YE AULD CHANCER.

BRAW. THAT'LL BE OOR PIZZA.
RING!

IF MY STORY ISNAE TRUE, THEN I'LL EAT MY HAT.
OKAY, PAW. JIST STOP GOIN' ON ABOOT IT.
KEEP THE CHANGE, SON.

HOW'S THIS FOR A PIZZA TOPPING?
CRIVVENS! MY NEW BUNNET! BUT HOW...?

BUNNET AN' PEPPERONI? NOW THAT'S WHIT I CA' A SPECIALITY PIZZA! TUCK IN, PAW.
WID YE LIKE A CUPPIE TEA TAE WASH IT DOON?

THE BEST LAID SCHEMES O' GRANPAW BROON,
ARE SET TAE GANG AGLEY - REAL SOON.

HERE WE ARE. WE'VE BROCHT A WEE KERRY-OOT FOR THE LADS. AN' A RARE BIG HAGGIS.
COME AWA' IN.
MY WEE SHED'S JIST BRAW FOR A FEMILY BURNS SUPPER.
I'VE EVEN CLEARED THE FLAIR FOR DANCIN'. IT'S LIKE BEIN' AT THE BUT AN' BEN - WI'OOT HAEIN' TAE TRAIL AWA' OOT TAE THE COUNTRY.
AN' WHILE WE'RE A' HAEIN' A WEE BIT O' A PAIRTY, THE HAGGIS WILL BE COOKIN' ON THE STOVE. IT'S A BEAUTY RICHT ENOUGH.
MY PAW SHOT IT HISSEL'.
AYE. THAT'LL BE RICHT. TIME FOR A WEE BLAW ON THE PIPES, I THINK.
LET'S SEE YE BLAW YER BEST.
COME ON. CAN YE NO' DAE BETTER THAN THAT?
YE'RE NO' AS BIG A BLAWBAG AS WE THOCHT YE WERE. HA! HA!
MICHTY! HE'S TURNIN' PUCE.
BUT -
PING!
PING!
OO-YA!
CORKS! NAE WONDER YE COULDNAE PLAY. AN' I CAN GUESS WHA PIT THEM THERE, SO IT SERVES YE RICHT, LADS.
THIS IS RARE. YE CAN FAIRLY BIRL, DAPHNE.
NO' OWER FAST, LADS. I'M NO' AS YOUNG'S I USED TAE BE.
IT'S LIKE THE NEW YEAR A' OWER AGAIN. RABBIE WID LOVE IT.
SKIRL!
MUCH LATER -
NAE MAIR! NAE MAIR! MY BUNION'S KILLIN' ME.
WE'VE BEEN DANCIN' FOR HOURS. I'VE FAIR WORKED UP AN APITITE FOR THAT HAGGIS.
THAT'S A PEETY, LAD...
...COS I FORGOT A' ABOOT IT. IT'S MAIR O' A BURNT SUPPER THAN A BURNS SUPPER NOW.
DINNAE WORRY. ANNIE'S AWA' FOR BURGERS - AN' EVEN YOU CANNAE BURN WHISKY. HERE'S TAE RABBIE BURNS. SLAINTE!

OOR FLY AULD LAD IS NAEBODY'S FOOL,
HE MAKES THE TWINS STAY IN SCHOOL.

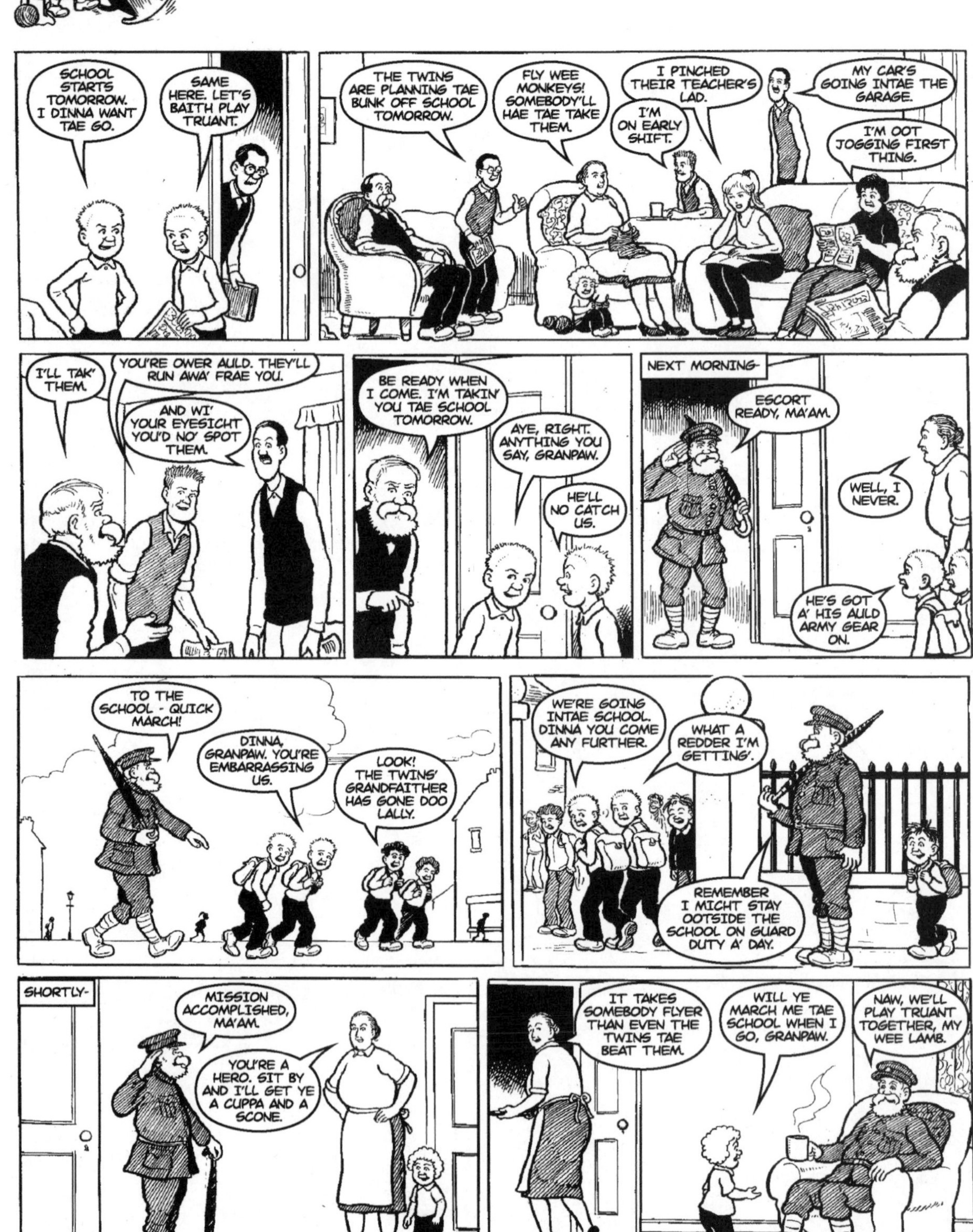
SCHOOL STARTS TOMORROW. I DINNA WANT TAE GO.
SAME HERE. LET'S BAITH PLAY TRUANT.
THE TWINS ARE PLANNING TAE BUNK OFF SCHOOL TOMORROW.
FLY WEE MONKEYS! SOMEBODY'LL HAE TAE TAKE THEM.
I PINCHED THEIR TEACHER'S LAD.
I'M ON EARLY SHIFT.
MY CAR'S GOING INTAE THE GARAGE.
I'M OOT JOGGING FIRST THING.
I'LL TAK' THEM.
YOU'RE OWER AULD. THEY'LL RUN AWA' FRAE YOU.
AND WI' YOUR EYESICHT YOU'D NO' SPOT THEM.
BE READY WHEN I COME. I'M TAKIN' YOU TAE SCHOOL TOMORROW.
AYE, RIGHT. ANYTHING YOU SAY, GRANPAW.
HE'LL NO CATCH US.
NEXT MORNING-
ESCORT READY, MA'AM.
WELL, I NEVER.
HE'S GOT A' HIS AULD ARMY GEAR ON.
TO THE SCHOOL - QUICK MARCH!
DINNA, GRANPAW. YOU'RE EMBARRASSING US.
LOOK! THE TWINS' GRANDFAITHER HAS GONE DOO LALLY.
WE'RE GOING INTAE SCHOOL. DINNA YOU COME ANY FURTHER.
WHAT A REDDER I'M GETTING'.
REMEMBER I MICHT STAY OOTSIDE THE SCHOOL ON GUARD DUTY A' DAY.
SHORTLY-
MISSION ACCOMPLISHED, MA'AM.
YOU'RE A HERO. SIT BY AND I'LL GET YE A CUPPA AND A SCONE.
IT TAKES SOMEBODY FLYER THAN EVEN THE TWINS TAE BEAT THEM.
WILL YE MARCH ME TAE SCHOOL WHEN I GO, GRANPAW.
NAW, WE'LL PLAY TRUANT TOGETHER, MY WEE LAMB.

A STITCH IN TIME SAVES NINE,
BUT DAPHNE'S SEWING IS NOT SO FINE.

LOW BRIDGE 7' 6"

I'M JUST TRYING ON THIS DRESS THAT ARRIVED FOR MAGGIE. IT FITS ME TAE.

GASP!
UNTIL I BREATHE OOT!
RRRIP!
RRRIP!

MICHTY! I'LL NEED TAE SEW IT UP QUICK, MAGGIE'S WEARIN' THIS DRESS IN THE STRICTLY COME JIGGING FINAL TONIGHT.

LATER, AT THE AUCHENTOGLE WINTER GARDENS-
OUR LAST FINALISTS ARE MAGGIE BROON AND NERO MCGLUMPHER.
SO FAR SO GOOD, SHE HASNAE NOTICED HER DRESS.

DINNAE TWIRL SAE FAST, MY SEWING'S NEVER BEEN VERY GOOD.

EEEEEEK!!
FLUMP!!

I RECOGNISE YOUR POOR STITCHIN'. YOU'VE BEEN WEARING MY DRESS.
WELL, LOOK AT YOU - WEARIN' MY THERMALS.
BUT IT'S CAULD IN HERE, DAPHNE.

FOR THAT MOST SPECTACULAR FINISH THE WINNERS ARE MAGGIE AND NERO!
JINGS! DAPH HELPED US WIN.
SNIFF! THAT'S BRAW. SNIFF!
9
8
9
STRICTLY COME JIGGING

WHEN IT COMES TAE MAKIN' SPECTACLES O' THEMSELVES THE BROON GIRLS ARE HARD TAE BEAT.

A' HIS FANCY PLANNING HAS ENDED,
NO' QUITE LIKE PAW INTENDED.

WE'RE AFF TAE THE PICTURES, PAW, AN' THE ITHERS'LL NO' BE BACK 'TIL LATE.
DINNAE YOU NIP OOT TAE THE PUB AS SOON AS WE'RE AWA'.
WHIT? ME? NO, AH'M STAYIN' PUT HERE.
MAN, THIS IS BRAW. PEACE AN' QUIET F'R ONCE.
TRINNNGGGG!
WID YE CREDIT IT? AS SOON AS AH GET COMFY, SOMEBODY'S AT THE DOOR.
TRING!
HANG ON. HANG ON. AH'M COMIN'.
TYPICAL. THERE'S NAEBODY HERE. AH BET IT WAS THAE GOW BAIRNS HAEIN' A LAUGH. AH'LL SOON . . .
. . . HELP MA BOAB! AH'M LOCKED OOT. THE DOOR'S BLAWN SHUT.
SLAM!
THE NEEBORS HAE SPARE KEYS - BUT THEY'RE A' OOT APART FRAE NELLIE TOSH, AN' SHE'LL NO' ANSWER, THE DEAF AULD GOAT.
THERE'S NEVER ONYBODY ABOOT WHEN YE NEED THEM - AN' WHIT A NICHT IT IS OOT THERE - POORIN' DOON!
BIG SECURITY DOOR - BIG SPRING!
IMAGINE YER MAN GOIN' OOT LIKE THAT.
MICHTY!
SLAM!
AYE. AN' FALLIN' ABOOT, TAE. HE MUST HAE BEEN AT THE BOTTLE.
THERE'S JIST ONE PLACE TAE GO IN AN EMERGENCY -
. . . AN' NAEBODY'LL BE HAME F'R AGES. AH'VE NAE WALLET, SO COULD YE RUN A FEW UP F'R ME ON THE SLATE?
OKAY, BROON. THAT'S THE BEST EXCUSE F'R NO' PAYIN' AH'VE HEARD F'R YEARS. AN' AH'LL EVEN LEND YE A PAIR O' AULD BOOTS.
LATER -
MA DEARIE. YE'LL NEVER GUESH WHIT HAPPENED TAE ME.
TRY ME. HALF-CUT AN' HALF-DRESSED.
BUT NO' HALF IN BIG TROUBLE.

IS THE CARD FOR MAGGIE OR DAPH?
READ ON AND GIE YERSEL A LAUGH.

SETURDAY -
HERE'S THE POSTIE NOW. HE'S BOUND TAE HAE MY VALENTINE'S CAIRD FAE ERCHIE.
AN' MINE FAE ALBERTO, AN' PHILLIPPE, AN' CRISTIANO, AN'...
YE MUST HAE LOST YER TOUCH, LASSIES. THERE'S JIST THE ONE THIS YEAR.
IT'LL BE FOR ME.
AWA' YE GO. IT'LL BE MINE.
HAND IT OWER.
CALM DOON. LET'S SEE WHA IT'S ADDRESSED TAE.
AYE. LOOK AT THE ENVELOPE.
THAT'S NAE HELP. IT'S ADDRESSED TAE 'MISS BROON, 10 GLEBE STREET' - SO IT COULD BE EITHER O' YE.
OPEN IT UP. IT'LL HAE MY NAME INSIDE. I BET YE.
IT JIST SAYS 'WITH LOVE FROM, A'. THEN THERE'S A BIG CROSS FOR A KISS. THAT'S IT.
IT'S ALBERTO. I KENT IT A' ALONG.
NO' SAE FAST. ERCHIE'S REAL NAME'S ARCHIBALD, SO IT COULD BE HIM.
MICHTY! STOP PUSHIN'. YE'LL HAE ME OWER.
WHA'S THAT AT THE DOOR. KEEP THE NOISE DOON, YOU ANES.
KNOCK!
THE MYSTERY'S SOLVED. THE CAIRD'S NO' FOR EITHER O' YE.
WHIT? WELL, IT CANNAE BE FOR YOU.
THAT'S RICHT. YOU'RE 'MISSUS' BROON.
IT'S FOR THE WEE MISS BROON - FAE HER PAL ALISTAIR AT THE NURSERY SCHOOL.
DID THE POSTIE BRING MY CAIRD?
AYE. MY PAW'S JIST BEEN READIN' IT.
ME LIKES MY BONNIE VALLYTIMES CAIRD. DID YOU TWA NO' GET ANE?

SNORE!

THE BREAKFAST THE BROONS LOVE THE MOST,
IS BACON, EGGS AND BUTTERED TOAST.

SUNDAY MORNIN' -
ME'S UP EARLY, TED, COS ME'S MAKIN' BREAKFAST. YOU JIST SIT AN' WATCH.
FIRST ME NEEDS THE TABLE CLOTH. THIS IS WHIT MAW DOES.
WHEEEEEE! JIST LIKE MAW!
HELP! ME CANNAE SEE.
FLUMP!
ME TRY AGAIN.
AN' AGAIN AN' AGAIN!
DINNAE YOU LAUGH AT ME, TED. ME'S JIST WEE AN' ME'S DAEIN' MY BEST.
SOON -
MICHTY, BAIRN. IT'S ONLY EIGHT O'CLOCK. WHIT'S UP?
BREAKFAST'S READY - AN' IT'S NO' UP, IT'S DOON.
AYE - IT'S DOON ON THE FLAIR! THIS IS BRAW, MY WEE LAMB.
ONY MAIR BACON AN' ICE CREAM, ONYBODY?
HA! HA! WI' THIS PRETEND BREAKFAST, YE DINNAE HAE TAE PRETEND YE'RE ON A DIET, DAPHNE!
DINNAE WORRY. MAW'S GOT A BRAW FRY-UP PLANNED FOR LATER.

WHA'D HAE THOUGHT A BIRTHDAY DRINK,
COULD KICK UP SUCH AN AWFY STINK.

HAPPY BIRTHDAY, PAW.
I'VE GOT YE SOMETHIN' YE'RE REALLY NEEDIN'.
A NICE WEE BOTTLE O' SINGLE MALT? TWA BOTTLES?
BAFFIES? FURRY BAFFIES? YE'RE HAEIN' A LAUGH. I WIDNAE BE SEEN DEID WEARIN' THEM. THEY'RE FOR WUMMEN.
BUT JEANNIE BLACK GOT THEM FOR HER MAN, AN' HE LOVES THEM.
WEEL, GIE THEM TAE HIM, THEN. I MICHT BE AULD, BUT I'VE STILL GOT MY PRIDE. I'M AWA' TAE THE PUB.
WE'LL HAE YER NEW BAFFIES HEATIN' BY THE FIRE WHEN YE COME HAME. HA! HA!
AN' YER AULD SMELLY ANES IN THE BIN.
COULD YE TAK' YER SHOES AFF AT THE DOOR, BROON? I DINNAE WANT A'BODY DRAGGIN' SLUSH OWER MA NEW CARPET.
NAE BOTHER, HAMISH.
IT'S AMAZIN' WHIT WUMMEN THINK WE'LL WEAR. I GOT DRAWERS WI' SANTAS ON THEM AT CHRISTMAS.
MAN, I'D HAE LOOKED A RICHT JESSIE ANNIE IN FURRY BAFFIES.
OH-OH! THERE'S AULD ANDRA HINGIN' ABOOT THE DOOR. HE'LL BE MOOCHIN' FOR BEER MONEY, NAE DOOT.
LATER -
THAT'S ME AWA'. I'LL SEE YE THE MORN FOR THE DOMINOES, HAMISH.
JINGS, BROON. AULD ANDRA'S AWA' WI' YOUR COAT AN' SHOES. THAT'S HIS STUFF THAT'S LEFT.
I'LL GET YER CLATHES BACK FAE THE AULD CHANCER IN THE MORNIN'. DINNAE WORRY.
MICHTY! WHIT'S THE FEMILY GOIN' TAE SAY?
I CAN EXPLAIN. HONESTLY.
AN' THIS IS THE MAN WHA HAD OWER MUCH PRIDE TAE WEAR FURRY SLIPPERS. WHIT A SICHT.
AND A STINK! YE NEEDNAE THINK YE'RE PITTIN' YER FEET NEAR YER NEW BAFFIES NOW. NO' AFORE YE HAE A SHOWER, ONYWAY.
PUIR PAW'S 'BAFFIE' SMELLY.

FOR GRANPAW BROON THERE'S NAE FREE MEAL,
THE REST HAE PAID, HE MUST AS WEEL.

I'M GONNAE HAE TAE ASK YE A' TAE CHIP IN MAIR FOR THE HOOSEKEEPIN'. IT'S COSTIN' A FORTUNE TAE FEED YOU LOT.
I'LL CUT DOON IF THAT'S WHIT YE WANT, PAW.
AYE. CUT DOON - TAE ONLY TWA PLATEFULS.
HERE YE ARE. HAME MADE STEAK PIE - YER FAVOURITE.
BRAW. WE'D PEY ONYTHIN' FOR COOKIN' LIKE YOURS, MAW.
WHIT A BRAW SMELL. AM I IN TIME FOR TEA?
YER TIMIN'S PERFECT - AS USUAL. BUT YE'LL HAE TAE COUGH UP AS WEEL, YE AULD SCROUNGER.
I NEVER CARRY CASH JIST IN CASE AH GET MUGGED.
DINNAE WORRY. MAGGIE AN' DAPHNE'LL TAK' YE TAE THE CASHLINE EFTER TEA AN' ACT AS YER SECURITY GUARDS.
SO -
YE'RE SAFE WI' US. AN' WE CAN TAK' YER CONTRIBUTION BACK TAE PAW.
I AM GETTIN' MUGGED - BY MY AIN FEMILY.
JINGS! MY PIN'S NO' WORKIN'.
SNAP!
YE'VE GOT TAE KEY IT IN FIRST, YE DAFT AULD GOAT.
NO' MA PIN NUMBER, LASSIE. THE SAFETY PIN THAT'S HAUDIN' UP MA BREEKS.
EEEK!
WE'D BETTER GO AFORE SOMEONE THINKS WE'RE WI' HIM.
AYE. LET'S DISOWN THE AULD DISGRACE.
AH'VE BEEN MEANIN' TAE ASK YE TAE FIX MY GALLUSES A' WEEK.
WHIT A SHAME. THEY'VE GONE AFORE I COULD HAND OWER MY CASH. I'LL JIST HAE TAE KEEP IT TAE MASEL'.

THE RHYMES O' HORACE, THE GLEBE STREET BARD,
ARE CLEARLY HELD IN HIGH REGARD.

WHIT'S THAT YE'RE AT, HORACE? IS IT A LOVE LETTER?
IF YE MUST KNOW, IT'S A POEM AN' . . .
IS IT TAE THON SKINNY LASSIE AT THE LIBRARY? COME ON. TELL US.
A POEM? LET'S HAE A LOOKIE.
WHIT ROMANTIC.
OKAY, OKAY! AH'LL READ IT TAE YE. BUT IT'S NO' WHIT YE THINK.
YE HAE SIC BONNIE TRESSES FAIR, YER BLACK EEN GLINT ALO YER HAIR. IS THERE ANITHER CAN COMPARE WI' YOU, THE BELLE? IF FUTURE DAYS HAUD FEAR F'R YOU, AH CANNAE TELL.
LOVELY.
I STILL CAN HEAR YER LILTIN' BLEATIN', HIGH ON THE HILLSIDE AT THE MEETIN' WI' A' YER SISTERS, WHA WERE GREETIN' WI' VOICES SHRILL. AYE, HAPPY HOURS AN' DAYS YE HAD ON STOORIE HILL.
BUT NOW YE ARE AT SCOTIA'S SHOW, WI' HAIR A' CLEAN AN' EYES AGLOW. THE 'BELLE' HAS TOLLED, IT'S TIME TAE GO F'R MUTTON STEW. BUT EVER ON A SUNNY DAY. . .
MUTTON STEW?
AYE, MUTTON STEW. IT'S CALLED 'THE SHEPHERD'S LAMENT' AN' IT'S A' ABOOT THE ROMANCE O' THE COUNTRYSIDE. AH'VE TAE DAE IT F'R HOMEWORK.
HA! HA! YE'VE A POETIC SOUL, HORACE. AH DINNAE KEN WHA YE TAK' IT AFF.
WHIT'S FOR TEA, MA BONNIE DEARIE?
STEW. AND WHY ARE YE SAE CHEERY?
FINE HE KENT, THE GLEBE STREET GLUTTON, MAW WAS BUSY COOKIN' MUTTON.
THE THING TAE BRING ME FRAE THE PUB . . .
. . . IS MY DELICIOUS HOME-MADE GRUB.
AYE. WE'RE NO' 'LAMB'ENTIN' NOW.
BRAW! THAT'S WHIT I CA' POETRY!
P.

PAW BROON HAS NO CARE,
FOR A NEW HEAD OF HAIR.

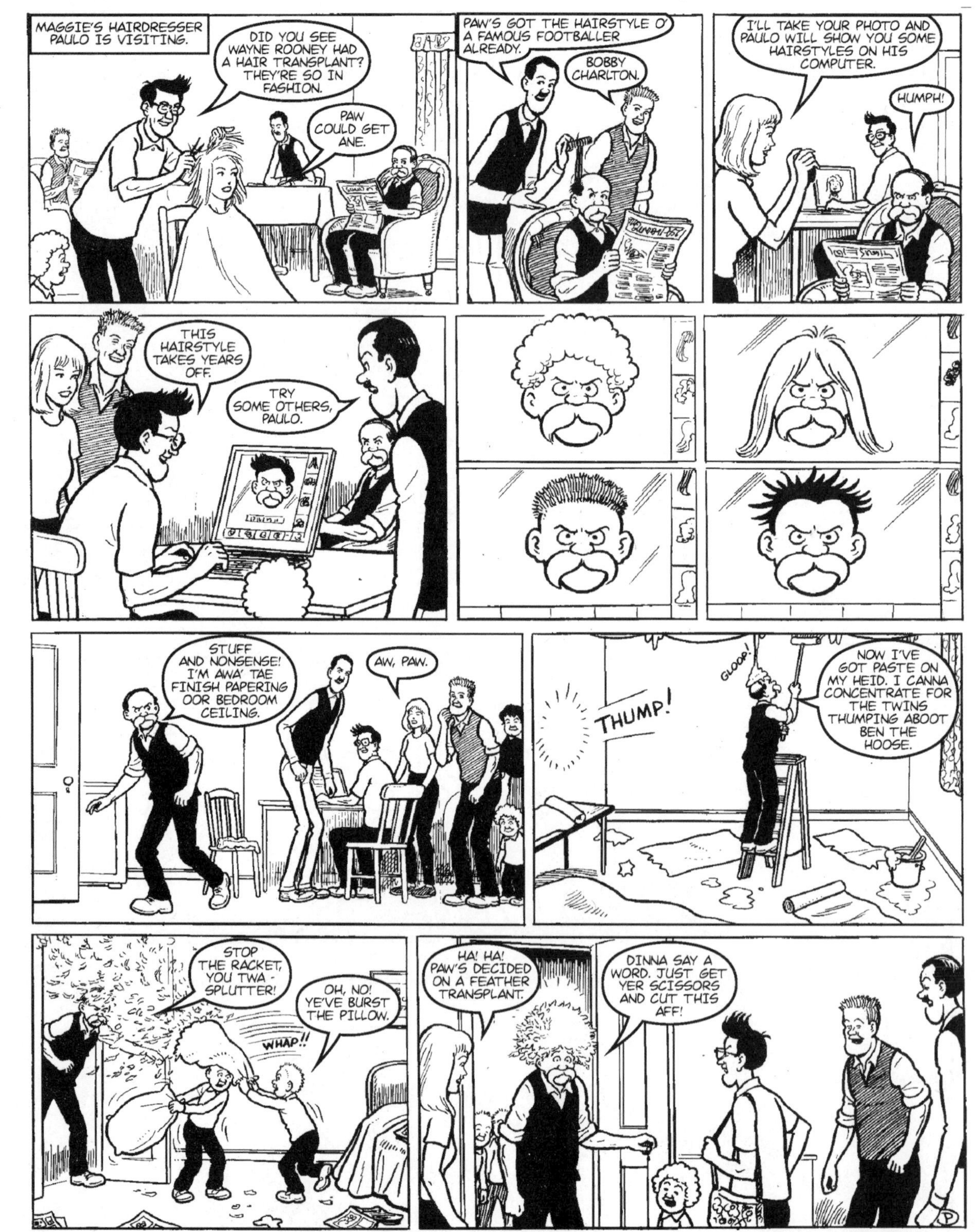
MAGGIE'S HAIRDRESSER PAULO IS VISITING.
DID YOU SEE WAYNE ROONEY HAD A HAIR TRANSPLANT? THEY'RE SO IN FASHION.
PAW COULD GET ANE.
PAW'S GOT THE HAIRSTYLE O' A FAMOUS FOOTBALLER ALREADY.
BOBBY CHARLTON.
I'LL TAKE YOUR PHOTO AND PAULO WILL SHOW YOU SOME HAIRSTYLES ON HIS COMPUTER.
HUMPH!
THIS HAIRSTYLE TAKES YEARS OFF.
TRY SOME OTHERS, PAULO.
STUFF AND NONSENSE! I'M AWA' TAE FINISH PAPERING OOR BEDROOM CEILING.
AW, PAW.
GLOOP!
THUMP!
NOW I'VE GOT PASTE ON MY HEID. I CANNA CONCENTRATE FOR THE TWINS THUMPING ABOOT BEN THE HOOSE.
STOP THE RACKET, YOU TWA - SPLUTTER!
OH, NO! YE'VE BURST THE PILLOW.
WHAP!!
HA! HA! PAW'S DECIDED ON A FEATHER TRANSPLANT.
DINNA SAY A WORD. JUST GET YER SCISSORS AND CUT THIS AFF!

TAE HELP GRANPAW PASS THE DAY,
HIS SHED HAS EVERY LUXURY.

MAN, IT'S BRAW TAE GET A BIT O' PEACE AN' QUIET IN MY ALLOTMENT SHED.

BUT I'D BETTER TIDY UP IN CASE THE FEMILY DROPS BY. A'THIN'S IN A BIT O' A MESS SINCE OOR LAST ALLOTMENT SWALLY CLUB MEETIN'. WHIT A BRAW NICHT THAT WIS.

SOON -
THERE. THIS SHELF'S A BIT HIGH, BUT IF I STRETCH A BIT I CAN...

...MICHTY!

OOOOH!
SIZZLE!!

CRASH!
MA PRIZE WHISKY!

ARE YOU SURE MISTER BROWN SENIOR WON'T MIND ME COMING ALONG, MISSUS BROWN? I'VE HEARD SO MUCH ABOUT HIS ALLOTMENT SHED, AND I'D LIKE TO SEE IT BEFORE I RETIRE.
NAE PROBLEM, MEENISTER. HE KEEPS IT SHININ' LIKE A NEW PIN, DOESN'T HE, LADS?
THAT'S RICHT. YE COULD EAT AFF THE FLAIR.
AN' DRINK AFF THE SHELVES. HA! HA!

WHIT IN THE NAME...
IF THIS A BAD TIME, I'LL CALL BACK LATER, MISTER BROWN.
OCH, DINNAE WORRY, MEENISTER. JIST PU' UP A SEAT - IF YE CAN FIND ANE! AN' HELP YERSEL' TAE AN AIPPLE. DRAM, ONYBODY?

GRANPAW MICHT HAE A PRICE TAE PAY, FOR DRINKING ON A SABBATH DAY.

SUNDAY MORNIN' AT THE KIRK.
...AND ALL THOSE AMONGST US WHO TAKE STRONG DRINK SHALL BE CAST OUT IN SHAME...
THIS IS HEDLEY NISBET, OOR NEW MEENISTER.
AYE. LOOKS LIKE WE'RE A' DOOMED!
A DEADLY HEDLEY RICHT ENOUGH.

LATER -
ROLL OOT THE BARREL. WE'LL HAE A BARREL O'...
TUT! TUT! SINGING ON A SABBATH AFTERNOON. THAT WILL NOT DO.

FILL THE JOUG, TAM! LET'S HAE A REAL SOAKIN'.
A DRINKING DEN - AND THAT'S GRANDFATHER BROWN'S VOICE.

MR BROWN, I HAVE TO INFORM YOU THAT YOUR FATHER HAS A DRINKING CLUB IN HIS ALLOTMENT SHED.
ON A SUNDAY? THAT'S NONSENSE, MISTER NISBET.

WE'D BETTER MAK' SURE THE MEENISTER'S NO' IMAGININ' THINGS.
DINNAE WORRY, MAW. AH KEN MA AIN FAITHER.

JINGS! GRANPAW'S BEEN CAUGHT RED-HANDED.
AND TELL ME, PRAY, WHAT IS IN THAT JUG?
JIST ALE, MEENISTER.

ADAM'S ALE, TAE BE PRECISE. PURE, CLEAR AN' CAULD WATTER COLLECTED FAE THE HEAVENS IN MA RAIN BARREL. SEE FOR YERSEL'.
GOODNESS!
HA! HA! WHIT DID I TELL YE, MAW?

THE WATTER'S THE SECRET O' MA PRIZE-WINNIN' LEEKS. THAT, AN' TAM HERE SINGIN' TAE THEM!
OH! ER...I SEE.
1st

HOW WERE YE SAE SURE GRANPAW WISNAE USIN' HIS SHED AS A FLY DRINKIN' DEN?
NO' ON A SUNDAY. HIS ALLOTMENT SWALLY CLUB IS ON A FRIDAY. A'BODY KENS THAT.

AN ALARM CLOCK THAT WINNA RING, IS NO' A VERY USEFUL THING.

KEEP FIT CLASS

HAUD ON. YE CANNAE GO OOT WI'OOT A BITTY TOAST AN' A CUPPIE TEA.
NAE TIME, MAW. THERE MUST HAE BEEN A POWER CUT. NANE O' THE ALARM CLOCKS WENT AFF.

LATER -
I CANNAE SLEEP IN AGAIN THE MORN. I'LL SET THE ALARM ON MY MOBILE. THEN I'LL WAKE THE REST O' YE.
NAE NEED FOR THAT.
I'VE DUG OOT YER GREAT-GRANDFAITHER'S AULD CLOCK. IT'LL NO' LET US DOON.

ME WANTS TAE HEAR THE BONNIE TICK-TOCK, PAW.
OKAY, MY WEE LAMB.

HELP MA BOAB! PIT IT AFF.
JINGS! IT'LL WAKEN THE WHOLE TOON. WHIT AN AWFY DIN.
BRRRRR!

DAE SOMETHING QUICK - AFORE THE FIRE BRIGADE AN' POLIS ARRIVE!

THAT'LL SHOW IT WHA'S BOSS, PAW!
AYE - BUT I STILL HEAR SOMETHIN'. WHIT'S GOIN' ON?
BEEP! BE
WHACK!

WE NEARLY DID NEED THE FIRE BRIGADE. IT'S THE SMOKE ALARM YE'RE HEARIN'. WI' A' THE FUSS WE FORGOT THE TATTIES.
NAE DENNER - AN' NAE ALARM CLOCK. HOW WILL WE RISE IN THE MORNIN'?
DINNAE WORRY. I'LL JIST BORROW AULD GRAY'S ALARM. HE TELT ME HE HAD A BRAW NEW ANE.

6AM - AN' ALL'S WELL.
NNNNNN
NNNNNNNNN

THEN -
SCREEECH!

AYE, FERMER GRAY'S NEW COCKEREL NEVER MISSES A DAWN. I KENT IT WID GET US UP IN PLENTY O' TIME.
HA! HA! I'VE NEVER SEEN YE A' SAE ALARMED. TEA AN' TOAST, ONYBODY?

TAE GIVE PAW'S CAR A SHINY LUSTRE,
WILL NEED MAIR THAN A FEATHER DUSTER.

THEY'RE AT THE BUT AN' BEN.
LOOK AT WILLIE McLEOD'S CAR. HE MUST HAE SPENT HOURS WASHIN' AN' POLISHIN' IT.
AYE, IT LOOKS BRAND NEW. PITY WE CANNAE SAY THE SAME ABOOT YOURS, PAW.
I SEE YE'VE STILL GOT YER D-REGISTERED CAR, BROON. D FOR DIRT! IT'S A WONDER YE CAN SEE OOT O' THE WINDAE.
ACH, IT'S THE DIRT THAT PROTECTS IT, WILLIE.
BLETHERS. IT'S A DISGRACE.
IT'LL BE LIKE NEW UNDER A' THE MUCK! IN FACT, I'LL BET YE A FIVER IT'S IN MINT CONDITION. NO' A SCRATCH.
YE'RE ON, BROON. I'LL SEE YE LATER TAE COLLECT MY CASH.
WHAUR THERE'S MUCK, THERE'S BRASS - OR AT LEAST A SHINY METALIC FEENISH. THIS'LL BE THE EASIEST FIVER I'VE EVER MADE.
SOON -
LOOK AT THAT. A GUID WALLOP O' WAX AN' THE SECRET O' A REAL MIRROR SHINE - BUFFIN' WI' A WHOLE SHEEPSKIN. IS THAT NO' BRAW, BAIRN?
AYE. BUT ME'S NO' USIN' A SHEEP COS ME'S A WEE LAMB.
LATER -
OKAY, BROON. WHAUR'S THIS SPANKIN' NEW MOTOR?
ROOND THE BACK. AN' PREPARE TAE BE BLINDED, WILLIE. IT'S IN MINT CONDITION.
MINT CONDITION? A WEEL-SOOKED MINT, MEBBE. IT'S BASHED TAE BITS. HAND OWER THAT FIVER.
PAW'S BONNIE WEE CAR!

CRIVVENS! WHIT WIS THAT?
WALLOP!

HA! HA! YE'VE POLISHED IT OWER MUCH. THON GOAT'S SEEIN' ITS REFLECTION AN' THINKS IT'S ANITHER GOAT WANTIN' A FECHT!
JINGS!
NOW WE'VE TWA AULD GOATS AT THE BUT AN' BEN. YE'D BETTER PAY UP, PAW.

SURELY MAW WON'T MAKE A STEW,
WHEN THE MEAT'S STILL SAYING "MOO".

WHILE YE'RE AT THE DROVER'S YE CAN DRAP INTAE THE BUTCHER AN' GET SOME RIB-EYE STEAKS, A BITTY SILVERSIDE, SASSIDGES, BILIN' BEEF . . .
AYE, AYE. WE KEN WHIT TAE GET.
AN' I KEN WHIT YE'RE LIKE ONCE YE GET TAE THE PUB. DINNAE FORGET THE MINCE – AN' ASK MISTER MACDONALD FOR THE FRESHEST MEAT. LOCAL, TAE.
LEAVE IT TAE US. WE'RE EXPERTS ON BUTCHER MEAT.
HERE WE ARE. MEBBE WE SHOULD GET THE MEAT AFORE WE GO INTAE THE DROVER'S. WHIT DAE YE THINK?
AH THINK AH NEED A WARM DRINK AN' A SEAT ASIDE THE FIRE. AH'M FREEZIN'.
MAN. THERE'S NUTHIN' LIKE AN OPEN FIRE AN' A WEE DRAM ON A CAULD DAY.
WE'D BETTER NO' BE OWER LATE GETTIN' BACK, THOUGH. MIND LAST WEEK?
ACH, STOP WORRYIN'. THERE'S NAE DENNER TAE BURN THE DAY.
THAT WIS BRAW. YE CANNAE BEAT A WEE COUNTRY PUB FOR ATMOSPHERE.
AYE. AN' WE'RE NO' LATE, EITHER.
AH CANNAE HELP THINKIN' WE'VE FORGOTTEN SOMETHIN', THOUGH.
LOOKS LIKE FERMER GRAY'S BESSIE'S GOT OOT O' HER FIELD AGAIN. WE CAN TAK' HER BACK UP THE ROAD WI' US.
JINGS! AH KEN WHIT WE'VE FORGOTTEN.
THAT SOUNDS LIKE THE LADS OOTSIDE. AH JIST HOPE THEY'VE REMEMBERED MA MESSAGES.
AH CAN JIST ABOOT SMELL THE SASSIDGES FRAE HERE. AH'M THAT HUNGRY.
HERE YE ARE, MAW. A NICE BIT O' RIB-EYE, SOME SILVERSIDE . . .
. . . AN' IT'S A' LOCAL AN' FRESH AS A DAISY – OR A BESSIE EVEN. HA! HA!
YE . . .
RUMP
RIB-EYE
FILLET
NECK
DINNAE WORRY. WE BOCHT THE MEAT AFORE WE WENT TAE THE PUB.
WE FORGOT THE BILIN' BEEF, THOUGH. BUT WE'LL GET A LUMP OOT O' FERMER GRAY'S FREEZER WHEN WE TAK' BESSIE HAME.
SO GET THE SASSIDGES ON. WE'RE STERVIN'.
LLET
NECK

IF SAVING MONEY IS THE INTENTION,
THEN HORACE HAS A GREAT INVENTION.

ANITHER BILL. THE UPKEEP O' THE BUT AN' BEN IS GETTIN' OOT O' HAND.
AYE, BUT IT'S WORTH IT. WE LOVE IT HERE.
HING ON.
IF WE GENERATE OOR AIN ELECTRICITY WI' A WIND TURBINE, WE'LL SAVE A FORTUNE. LOOK, I'VE WORKED IT A' OOT.
BRAW. WE'LL SET IT UP RICHT AWAY.
WINDMILL
FIT THE TURBINE TAE THE SHED. THE GENERATOR'LL BE INSIDE.
WE AYE KENT HORACE WIS A GENIUS, BUT HE'S SURPASSED HIMSEL' THIS TIME.
HURRY UP AN' CONNECT THE ELECTRICITY. THERE'S A DOCTOR WHO SPECIAL ABOOT TAE START ON THE TELLY.
DOCTOR WHO? THE MANNIE WHA FLIES THROUGH THE AIR IN A POLIS BOX?
FANCY WASTIN' ELECTRICITY ON THON RUBBISH. GIE ME A GUID AULD-FASHIONED DOCUMENTARY. THAT'S THE KIND O' 'DOC' FOR ME. I'M AWA' FOR A DAUNDER.
PUIR AULD GRANPAW. HE DOESNAE KEN WHIT HE'S MISSIN'.
YE'VE DONE AWFY WEEL. COME IN FOR A CUPPA.
IN A MEENIT, MAW. WE'VE JIST TAE CONNECT IT A' UP.
HORACE
SOON -
LISTEN TAE THAT WIND. ISN'T IT BRAW?
JINGS. THE SHED'S TAKIN' AFF. THE TURBINE'S TURNED INTAE A PROPELLER.
THE WIND'S OWER STRONG. WE SHOULD HAE NAILED A'THIN' DOON.
CRIVVENS! NEVER MIND THON DOCTOR AN' HIS POLIS BOX. LOOKS LIKE HE'S SWAPPED IT FOR A SHED AN' TA'EN UP GAIRDENIN'. NOW THAT WID BE A PROGRAMME WORTH WATCHIN'.

THE CASTLE HAS SEEN MANY A FIGHT, BUT NOTHING COMPARES TAE THIS DAFT SIGHT.

IT'S GREAT THAT WE'RE A' TOGETHER AT EASTER. ONE BIG HAPPY FAMILY, EXCEPT FOR THE TWINS.
BEHAVE, YOU TWA WE'RE NEARLY AT KILTY CASTLE.

WILL WE HAE A GUIDED TOUR OR THE EGG HUNT?
THE BAIRNS'LL WANT THE EGG HUNT.
AYE, WE'LL HELP THE BAIRNS.
TODAY
EASTER EGG HUNT

SO-
I SPY AN EGG.
THERE'S ANE!
ME FOUND ONE.

HERE'S ONE ON THE POT PLANT.
HEY! I SAW IT FIRST.
THERE'S ONE BY THE HEDGE.
I WAS ABOUT TAE PICK IT UP.

ON THE GUIDED TOUR-
KILTY CASTLE WAS THE SITE OF THE GREAT BATTLE OF CLAN KILTY.

THEY WENT TO WAR OVER GOLD HIDDEN IN THE GROUNDS.
GOOD GRIEF! WHAT'S THAT NOISE?
THAT ANE'S MINE!
AWA'! YOU STOOD ON YOURS!

IT'S HISTORY REPEATING ITSELF!
GIE ME THAT EGG!
I'LL GIE YOU A CLIP ON THE EAR.
IT'S MY EGG.
YOU SHOULDN'T BE EATING CHOCOLATE, FATTY!
STOP FECHTING THIS INSTANT!

NOW NAEBODY'S SPEAKING.
EXCEPT THE TWINS.
BRAW CHOCOLATE THIS.

THE SITUATION'S VERY TENSE,
ROAD RAGE VERSUS COMMON SENSE.

I'M GLAD YE GOT A LOAN O' THIS TRUCK THE DAY, PAW. I DINNAE LIKE BEIN' IN A WEE CAR WHEN THE ROADS ARE SLIPPY.
OCH, IF YE STAY CALM AN' COLLECTED, THERE'S NUTHIN' TAE WORRY ABOOT. ROAD SENSE IS A' YE NEED.

WHIT ARE YE REVERSIN' FOR, PAW? THERE'S A WHITE VAN AHENT YE.
I'M JIST GETTIN' THE RICHT ANGLE TAE PULL OOT. STOP FUSSIN'.

MICHTY. HE'S FOLLOWIN' US. HE'S RICHT ON YER TAIL.
DINNAE WORRY ABOOT HIM, MAW. I'M IN CONTROL.

WHIT'S HE TOOTIN' ABOOT? I'M NO' DAEIN' ONYTHIN' WRANG.
I CANNAE STAND THIS. I WANT OOT.
HONK!

THINKS HE OWNS THE ROAD, JIST COS HE'S IN A BIG WHITE VAN.
WHY DOES HE NO' JIST PASS US?
HONK!
HONK!

THIS IS AWFY. HE LOOKS A RICHT BRUTE.
IT'S ROAD RAGE - PLAIN AN' SIMPLE.

YE SHOULDNAE BE ON THE ROAD, YE AULD GOAT.
HONK!
HONK!
YE SHOULDNAE BE ON THE ROAD, YE EEJIT.

HE'S STILL ON OOR TAIL. I'M GONNAE GIE HIM A PIECE O' MY MIND. BULLIES LIKE HIM NEED TAE LEARN SOME ROAD SENSE.
HONK! HONK!
WHIT WIS THAT ABOOT STAYIN' CALM AN' COLLECTED?

RING THE POLIS ON YER MOBILE, MAW. THINGS COULD GET NASTY.
HONK!
SCRREEEEECH!!

YE'D BETTER HAE A GUID EXPLANATION FOR WHIT YE'VE BEEN DAEIN', SONNY. THE POLIS ARE ON THEIR WAY.
JIST AS WEEL. IT'S YOU THEY'LL BE WANTIN' TAE SPEAK TAE, YE DAFT AULD GOAT.

YER TOW-BAR CAUGHT IN MY BUMPER. YE'VE BEEN TOWIN' ME A' ROOND THE TOON.
MICHTY.
ROAD SENSE? DINNAE MAK' ME LAUGH.

A TRIP TAE BLACKPOOL IS OWER FAR,
FOR BROONS TAE SQUASH UP IN A CAR.

I'VE HAD A WEE WIN ON THE LOTTERY, SO I'M TREATIN' YE A' TAE A COUPLE O' DAYS IN BLACKPOOL.
I BETTER DIG OOT MY 'KISS ME QUICK' HAT.
OH, MY!
BRAW. DAE YE WANT ME TAE DRIVE, OR WILL YOU?

IT'S OWER FAR FOR US TAE SQUASH INTAE THE CAR AN' BUMP OWER POTHOLES. WE'LL TAK' THE TRAIN AN' HAE A BIT O' SPACE. LET'S AWA' DOON TAE THE STATION NOW AN' SEE WHIT WE CAN GET.

SO -
FOWER ADVANCE RETURNS, AN' ME AN' THE MISSUS AN' THE BAIRNS ON THE FEMILY RAILCARD. A' FOR BLACKPOOL. AN' TEN SEAT RESERVATIONS, TAE.
HMPH!

I'LL SEE WHIT THE COMPUTER SAYS, MISTER BROON.
GET SEATS CLOSE TAE EACH ITHER, NO' SCATTERED A' OWER THE TRAIN.

TWA DAYS LATER -
I HOPE OOR ROOM'S GOT A SEA VIEW.
HERE WE GO! FISH SUPPERS ON THE PIER THE NICHT.
I'M GOIN' ON THE BIG DIPPER.
WHIT A BRAW RELAXIN' WAY TAE STERT OOR JOURNEY.

JINGS! IT'S BUSY. JIST AS WEEL YE BOOKED SEATS, PAW.
WHIT NUMBER ARE THEY?
ER - 42 TAE 45.
HERE THEY ARE.

BUT WHAUR'S THE ITHER SIX?
THEY - THEY WERE A BIT SHORT O' SEATS. THIS IS A' I COULD GET BOOKED.
BAGS ME THE WINDAE SEAT.

WHIT WERE YE SAYIN' ABOOT SPACE, PAW? THERE WID HAE BEEN MAIR ROOM IN THE CAR.
ACH, AT LEAST WE'RE A' THEGITHER. AN' IF YE THINK THIS IS BAD, WAIT 'TIL WE'RE GOIN' HAME. I COULDNAE BOOK ONY SEATS FOR THE RETURN TRIP.
HA! HA! MAIST FOWK PIT THEIR PICNIC ON THE TABLE - NO' THEIR BAIRNS.

THE YOUNG FOWK PLAN TAE WIN THEIR WAY,
TAE RICHES ON THE LOTTERY.

...SO WE'LL A' HAE TAE CUT OOR CARBON FOOTPRINT AN' SAVE MONEY.
THE LASSIES COULD USE THEIR HAIR DRYERS FOR LESS THAN TWA HOURS EVERY DAY.
AN' YOU COULD WALK TAE WORK. YER LANKY LEGS COULD DAE IT IN TWA STRIDES.
YOU COULD STOP BUYIN' A' THAE MAGAZINES.
AN' YOU COULD SLEEP WI'OOT LEAVIN' THE LICHT ON, YE BIG BAIRN.
ORDER! ORDER! SENSIBLE SUGGESTIONS ONLY AT THIS BUDGET MEETING.
I WIS BEIN' SENSIBLE.
WHIT'S A' THE SHOUTIN' ABOOT? YE SHOULD BE AWA' DOON TAE THE BOOLIN' CLUB. THEIR LOTTERY'S A TRIPLE ROLLOWER THE NICHT.
MICHTY! COME ON, YOU ANES. I SMELL MONEY.
THIS'LL BE HOW THE CHANCELLOR FEELS WHEN THE CABINET GOES AFF TAE THE BOOLIN' CLUB IN THE MIDDLE O' HIS BUDGET.
DOON THE CLUBBY -
LOTTERY TICKET, FOLKS?
HELLO, THERE - I MEAN AYE. THANKS, ER - ER -
CHARLES. AN' YOU ARE?
SHE'S DAPHNE. CONCENTRATE AN' PIT DOON A' OOR AGES, DAPH. I'VE A FEELIN' WE'RE GONNAE BE LUCKY.
MMM! I THINK I AM.
AND -
...SO LAST, BUT NO' LEAST, TWENTY-SEVEN.
THAT'S IT! THAT'S A' OOR AGES! WE'VE WON THREE HUNNER QUID!
I - ER - I WIDNAE BE SAE SURE.
WHIT DAE YE MEAN? A' OOR AGES CAME UP AN'...
BUT I DIDNAE PIT MY REAL AGE DOON. I KNOCKED A COUPLE O' YEARS AFF IT IN CASE CHARLES THOCHT I WIS OWER AULD.
YE DID WHIT? YE DAFT, STUPIT, BRAINLESS ...
AN' THAT'S NO' A CARBON FOOTPRINT.

MAW'S NO' A HAPPY WUMMAN WHEN,
HER SONS BEGIN TAE ACT LIKE MEN.

ME AN' JOE ARE MOVIN' INTAE A NEW FLAT, MAW. IT'S TIME WE FLEW THE NEST.
AYE. LADS CANNAE BIDE WI' THEIR PARENTS FOREVER, EFTER A'.
OH, MA WEE LADDIES. HOW WILL YE COPE?

MIND AN' KEEP IN TOUCH.
DINNAE WORRY, MAW. WE'LL NO' FORGET YE.
AN' BEHAVE YERSEL'S. NAE WILD PAIRTIES EVERY NICHT - WI' BOOZE AN' WEEMEN.

BUT -
WE'RE IN, BELLA, SO COME OWER LATER FOR A MEAL AN' SOME VINO.
PAIRTY TIME! TELL HER TAE BRING HER PAL SADIE - THE ANE THAT FANCIES ME.

I'LL SET THE MOOD WI' CANDLES AN' MUSIC.
THE LASSIES'LL LOVE THIS. WE CAN GET ALICE AN' GLADYS ROOND THE MORN. AN' THAE BLONDE TWINS FAE DOW STREET. THIS IS BRAW.

ONY IDEA HOW THIS CORK SCREW WORKS? IT'S JIST SPINNIN' ROOND AN' ROOND.
HOW DAE I SWITCH THIS MICRO THINGY ON TAE BILE THE STEAKS? AN' DAE I PEEL THE TATTIES AFORE OR EFTER I ROAST THEM?
WE'LL HAE TAE DAE SOMETHIN' QUICK - AFORE THE LASSIES ARRIVE.

AT GLEBE STREET -
IS THAT HEN AN' JOE ALREADY? FORGOTTEN TAE PACK THEIR NAPPIES, NAE DOOT.
OH, IT'S LOVELY TAE HEAR FAE YE, HEN. I'M AYE HAPPY TAE HELP MA LADDIES.
ME KENT THIS WID HAPPEN.

THE 'ROMANTIC' DINNER -
YE NEVER TELT ME YER MITHER WID BE HERE, HEN.
OCH, HE LOVES HIS AULD MAW. CANNAE DAE ONYTHIN' WI'OOT HER.
AN' HE'S AWFY FOND O' HIS SISTERS, TAE. JIST SHOUT WHEN YE WANT A LIFT HAME.
ONE TATTIE OR TWA, SADIE?

THEY'RE BACK? BACK YE SAY? HELP MA BOAB!
ACH, THEY DIDNAE LIKE THE NEEBORS. THEY'LL BE LOOKIN' FOR ANITHER PLACE SOON - ONCE THEY CAN FACE BEIN' SEEN IN PUBLIC. HA! HA!
ME'S SHOWIN' THEM HOW TAE WORK THE MICROWAVE THE MORN.

IF GRANPAW SETTLES DOON WI' ANNIE,
THE BROOONS WILL GET A BRAND NEW GRANNY.

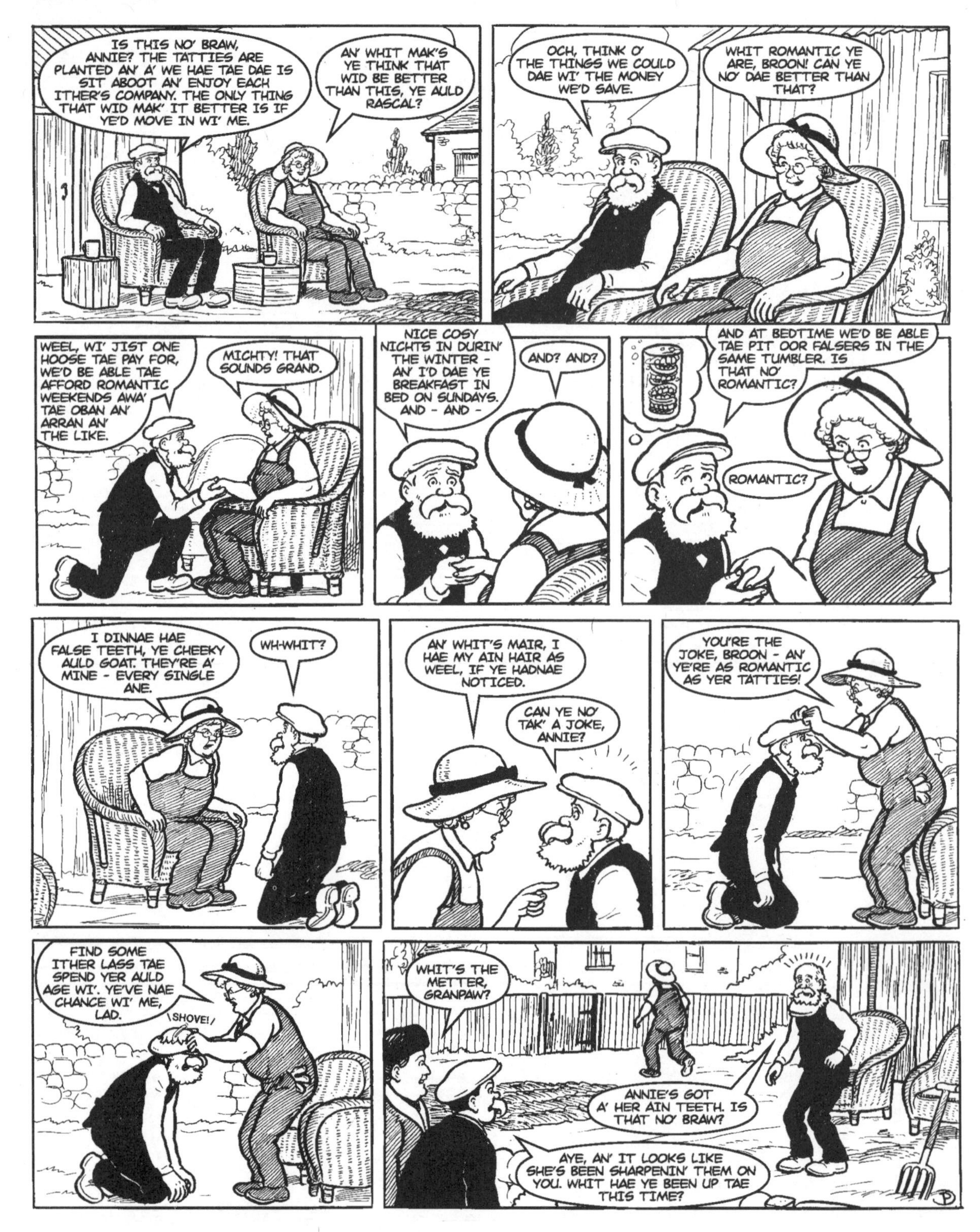

IS THIS NO' BRAW, ANNIE? THE TATTIES ARE PLANTED AN' A' WE HAE TAE DAE IS SIT ABOOT AN' ENJOY EACH ITHER'S COMPANY. THE ONLY THING THAT WID MAK' IT BETTER IS IF YE'D MOVE IN WI' ME.
AN' WHIT MAK'S YE THINK THAT WID BE BETTER THAN THIS, YE AULD RASCAL?
OCH, THINK O' THE THINGS WE COULD DAE WI' THE MONEY WE'D SAVE.
WHIT ROMANTIC YE ARE, BROON! CAN YE NO' DAE BETTER THAN THAT?
WEEL, WI' JIST ONE HOOSE TAE PAY FOR, WE'D BE ABLE TAE AFFORD ROMANTIC WEEKENDS AWA' TAE OBAN AN' ARRAN AN' THE LIKE.
MICHTY! THAT SOUNDS GRAND.
NICE COSY NICHTS IN DURIN' THE WINTER - AN' I'D DAE YE BREAKFAST IN BED ON SUNDAYS. AND - AND -
AND? AND?
AND AT BEDTIME WE'D BE ABLE TAE PIT OOR FALSERS IN THE SAME TUMBLER. IS THAT NO' ROMANTIC?
ROMANTIC?
I DINNAE HAE FALSE TEETH, YE CHEEKY AULD GOAT. THEY'RE A' MINE - EVERY SINGLE ANE.
WH-WHIT?
AN' WHIT'S MAIR, I HAE MY AIN HAIR AS WEEL, IF YE HADNAE NOTICED.
CAN YE NO' TAK' A JOKE, ANNIE?
YOU'RE THE JOKE, BROON - AN' YE'RE AS ROMANTIC AS YER TATTIES!
FIND SOME ITHER LASS TAE SPEND YER AULD AGE WI'. YE'VE NAE CHANCE WI' ME, LAD.
SHOVE!
WHIT'S THE METTER, GRANPAW?
ANNIE'S GOT A' HER AIN TEETH. IS THAT NO' BRAW?
AYE, AN' IT LOOKS LIKE SHE'S BEEN SHARPENIN' THEM ON YOU. WHIT HAE YE BEEN UP TAE THIS TIME?

THERE'S MANY A DESPONDENT BROON,
THE DAY A DEAR AULD FRIEND BREAKS DOON.

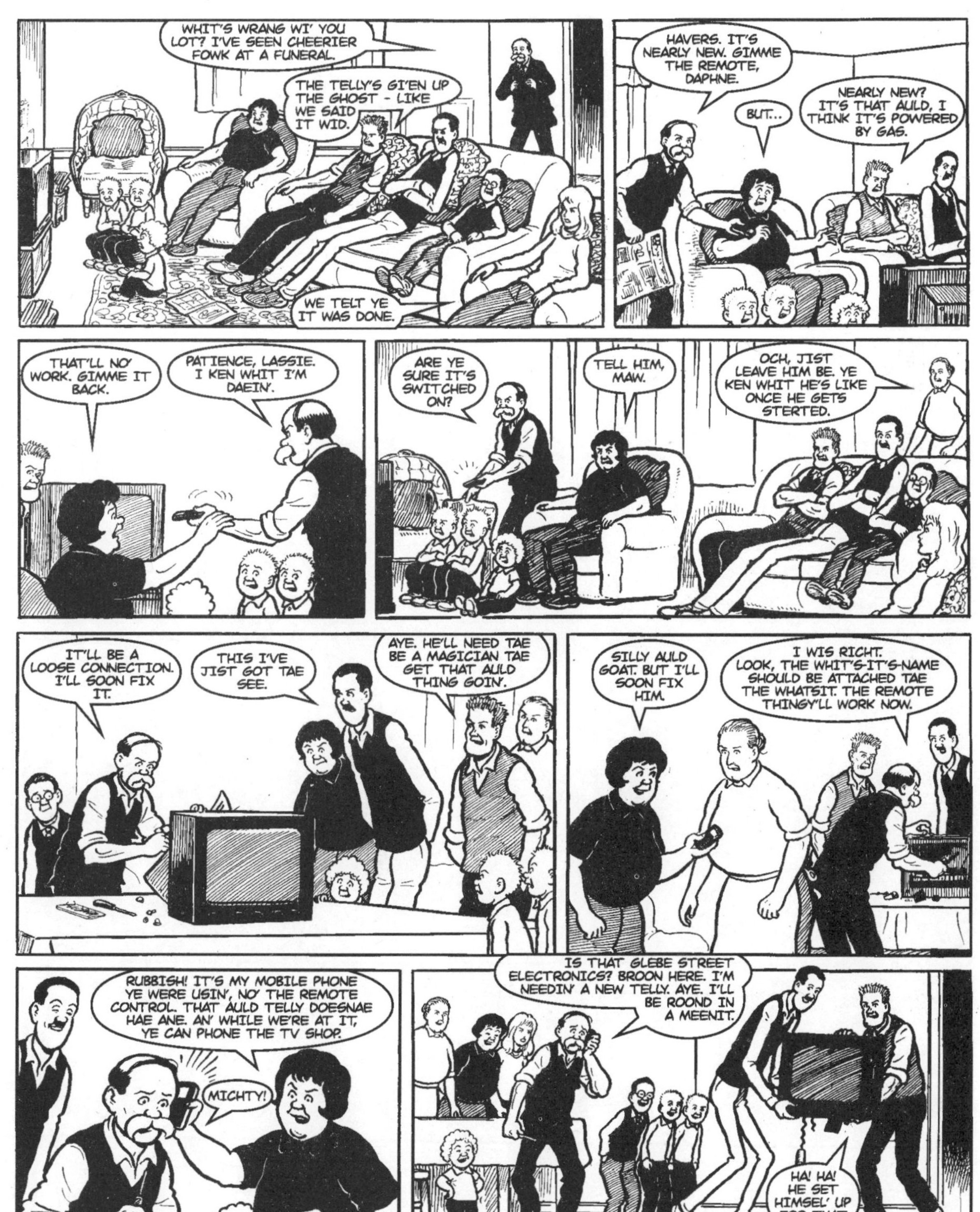
WHIT'S WRANG WI' YOU LOT? I'VE SEEN CHEERIER FOWK AT A FUNERAL.
THE TELLY'S GI'EN UP THE GHOST - LIKE WE SAID IT WID.
WE TELT YE IT WAS DONE.
HAVERS. IT'S NEARLY NEW. GIMME THE REMOTE, DAPHNE.
BUT...
NEARLY NEW? IT'S THAT AULD, I THINK IT'S POWERED BY GAS.
THAT'LL NO' WORK. GIMME IT BACK.
PATIENCE, LASSIE. I KEN WHIT I'M DAEIN'.
ARE YE SURE IT'S SWITCHED ON?
TELL HIM, MAW.
OCH, JIST LEAVE HIM BE. YE KEN WHIT HE'S LIKE ONCE HE GETS STERTED.
IT'LL BE A LOOSE CONNECTION. I'LL SOON FIX IT.
THIS I'VE JIST GOT TAE SEE.
AYE. HE'LL NEED TAE BE A MAGICIAN TAE GET THAT AULD THING GOIN'.
SILLY AULD GOAT. BUT I'LL SOON FIX HIM.
I WIS RICHT. LOOK, THE WHIT'S-IT'S-NAME SHOULD BE ATTACHED TAE THE WHATSIT. THE REMOTE THINGY'LL WORK NOW.
RUBBISH! IT'S MY MOBILE PHONE YE WERE USIN', NO' THE REMOTE CONTROL. THAT AULD TELLY DOESNAE HAE ANE. AN' WHILE WE'RE AT IT, YE CAN PHONE THE TV SHOP.
MICHTY!
IS THAT GLEBE STREET ELECTRONICS? BROON HERE. I'M NEEDIN' A NEW TELLY. AYE. I'LL BE ROOND IN A MEENIT.
HA! HA! HE SET HIMSEL' UP FOR THAT.

THE MIXTURE IN MAW'S DUMPLING CLOOT,
IS VERY TASTY, THERE'S NO DOOT.

WE'LL MAK' A BIG CLOOTIE DUMPLIN' FOR THE TEA. MIND AN' KEEP YER EYES PEELED, MA WEE LAMB.
PEELED? O' YE MEAN LIKE ORANGES?
NO - AH WANT YE TAE WATCH OOT FOR FOWK PUTTIN' THEIR GREEDY FINGERS IN THE MIX.
DUMPLIN'. BRAW!
AH CANNAE WAIT FOR A TASTE.
MAW'LL NO' MISS THIS WEE BIT.
WEE BIT? AH'M TAKIN' A BIG BIT.
ME MAW SAYS TAE KEEP YER FINGERS OOT, YE GANNETS.
SOON -
MICHTY. IT'S DISAPPEARIN' LIKE SNOW AFF A DYKE.
ME COULDNAE STOP THEM, MAW.
WE CANNAE HELP OORSEL'S. IT'S TOO TEMPTIN'.
AWA' WI' YE, OR THERE'LL BE NONE LEFT.
ME KENS WHIT TAE DAE.
LATER -
DOES IT NO' SMELL JIST BRAW?
MEBBE SO, BUT IT LOOKS A BIT ON THE SMA' SIDE.
WHIT? THERE'S ONLY ENOUGH FOR ONE.
WHIT D'YE EXPECT? THAT WIS A' THAT WIS LEFT ONCE YOU LOT HAD HELPED YERSEL'S.
JINGS, YE'VE NAE IDEA HOW WONDERFUL THIS IS - AN' YE NEVER WILL. MMMMM!
THIS IS DUMPLIN' TORTURE.
DINNAE WORRY! AH'M NO' THAT HARD HEARTED. HERE'S ANE I MADE EARLIER. IT WIS THE BAIRN'S IDEA, BUT YE DINNAE DESERVE IT...YE DUMPLIN'S.
MAW SAYS TAE KEEP OOTIE THE CLOOTIE FAE NOW ON.

WHEN BATTLE RAGES IN THE GLEN,
IT SEPARATES THE LADS FRAE MEN.

NA! NA! NA! SWOTTY HORACE, SHOULD BE DORIS! HORACE BROON, THE SAP O' THE TOON. NA! NA! NA!
HORACE, MAN. STICK UP FOR YERSEL', WILL YE? DINNAE BE SIC A JE...
QUIET!
LEAVE THE LADDIE ALANE. HE MICHT NO' BE TOUGH, BUT HE'S AWFY GUID AT HIS LESSONS.
AYE. AN' I'M OOT HERE LOOKIN' FOR GRANPAW, NO' A FECHT.
BUT, LATER –
THAT'S IT, LAD.
JINGS! IT'S THE NINJA O' GLEBE STREET.
WHIT'S GOIN' ON? YE'LL NEVER MAK' A FECHTER OOT O' OOR HORACE.
WHEESHT! WE'RE TRAINING.
AN' WE'RE READY. IT'S AFF TAE GLEN FESHIE AN' INTAE BATTLE, HORACE.
G'RUMPH!
MY PUIR WEE LADDIE. THIS IS A' BECAUSE YOU NAGGED HIM. IF ONYTHIN' HAPPENS TAE HIM I'LL...
WE'D BETTER GANG EFTER THEM.
BUT, DOON IN THE GLEN –
MIDGE SWATTING CHAMPIONSHIPS. WID YE BELIEVE IT? EVEN HORACE CANNAE GET HURT HERE.
MIDGE SWATTING CHAMPIONSHIPS
HE MICHT GET BITED. ME DISNAE LIKE WEE BUZZIN' BITIN' BEASTIES.
WE'RE JIST IN TIME. OH, MY WEE LADDIE. HE'S THAT BRAVE.
I WANT GUID CLEAN SWATTIN'. NAE ELBOWS OR SPITTIN'.
BRAW STYLE, LAD.

WI' TEN SWATTIN'S IN 30 SECONDS, THE NEW CHAMPION IS HORACE BROON!
WORDS I NEVER THOCHT TAE HEAR.
AYE, I'M HIS TRAINER. WHEN I SAW HIS HAUNS FLYIN' OWER THE COMPUTER KEYS, I KENT I HAD A CHAMPION IN THE MAKIN'.
ME'S LOOKIN' FOR A MIDGE TAE BITE.
WHIT A WARRIOR. I'M RICHT PROUD O' YE, SON. CHAMPION O' SCOTLAND.
AYE. AH'VE COME UP TAE SCRATCH FOR ONCE. HA! HA!
WHAT A 'SWAT'!

THE CONDUCTOR REALLY NEEDS A HAND,
THE POOR LAD'S ABANDONED BY HIS BAND.

HORACE IS PLAYIN' WI' THE ORCHESTRA THE NICHT, SO WE'RE A' GOIN' TAE LISTEN TAE HIM.

MICHTY. THE HALL'S SHUT.
D'YE HAE A KEY, HORACE?
AYE. B FLAT. IT DISNAE OPEN THE DOOR, THOUGH.

HERE'S STEPHANE, OOR GUEST CONDUCTOR.
IT'S A DISASTER. THE ORCHESTRA'S BUS IS LOST.

ME DISNAE UNDERSTAND. HOW CAN THE CONDUCTOR BE HERE IF THE BUS IS LOST?

DINNAE FASH YERSEL', LADDIE. THE SHOW MUST GO ON AN' WE'RE THE VERY FAMILY TAE HELP.
AYE. MUSIC'S OOR MIDDLE NAME.

AND SO -
STEPHANE DENEVE
CONDUCTING THE
BROONS FAMILY ORCHESTRA

SACRE BLEU. THIS IS QUITE A CHANGE FROM THE RSNO.
ACH, THE BAIRN'S BEEN MAKIN' BUBBLES IN MY SAX.
MICHTY! THERE'S NO' TWA O' US PLAYIN' THE SAME TUNE.
OH, YE CANNAE SHOVE YER GRANNY AFF A BUS!
AULD SODGERS AYE LIKE A BUGLE CA'.
CRIVVENS! A MOOSE!
VUUUZZZZZZZZZZZZ
X FACTOR HERE ME COMES.
WID YE LOOK AT THE STOOR?
JINGS! I'VE HIT THE DRUM OWER HARD.

BIG HEN LOVES POKIN' FUN AT DAPH,
HE THINKS HER DIET IS JUST A LAUGH.

OH, DAPHNE. I'LL FAIR MISS YE. DAE YE HAE TAE GO YET?
AYE, OSWALD. THIS IS THE LAST BUS TAE GLEBE STREET AN' I CANNAE AFFORD A TAXI HAME. BUT I'LL SEE YE ON FRIDAY.
DAPHNE! OH MY DAPHNE!
HELP MA BOAB! WHIT NEXT?
NEXT MORNIN' -
I KEN YER REAR'S ON THE BROAD SIDE, DAPH, BUT LAST NICHT YER NEW LAD MISTOOK YOU FOR THE BACK END O' A BUS. HA! HA!
YE CHEEKY BIG LANKY SCUNNER! I WIS ON THE BUS. OSWALD WIS CRYIN' OOT TAE ME.
WHIT'S WI' THE MAGNIFYIN' GLESS?
NO' THAT IT'S ONY O' YOUR BUSINESS, BUT I'M ON A MICRO DIET. I NEED TAE SEE HOW MONY SHOOTS AN' SEEDS I'M PITTIN' IN MY LUNCHBOX.
MICHTY!
ACH, I'M HAEIN' A BRIDIE, THE REMAINS O' LAST NICHT'S KEBAB, TWA AIPPLE PIES, A PUCKLE O' MAW'S SCONES AN' SOME CHOCOLATE. WE NATURAL ATHLETES NEVER PIT ON AN OUNCE.
IT'S JIST NO' FAIR.
C'MON, DAPH. HURRY UP IF YE WANT A LIFT.
DINNAE RUSH ME. I DINNAE WANT TAE WORK UP AN APPETITE.
ONE O'CLOCK IN HEN'S OFFICE -
CRIVVENS! I'VE BROCHT DAPHNE'S LUNCH. THERE'S NO' ENOUGH HERE TAE FEED A MOOSE.
WATCH YE DINNAE GET THAT CRUMB STUCK ATWEEN YER TEETH. HA! HA! HA!
MEANWHILE, IN ANITHER PART O' TOON -
OH, MY! IN A' MY RUSH I MUST HAE PICKED UP HEN'S LUNCH INSTEAD O' MY AIN. I'LL TAK' A WEE MICRO BITE AFF THE END O' THE BRIDIE - JIST TAE KEEP ME GOIN'.
TEN MEENITS LATER -
ACH, WHA WIS I KIDDIN'? THERE WIS NAE WAY I COULD STOP UNTIL I'D SCOFFED THE LOT. I JUST HOPE MY LANKY STREAK O' A BRITHER ENJOYED HIS LUNCH AS MUCH. IT SERVES HIM RICHT FOR BEIN' CHEEKY - AN' I'LL GET BACK ON MY DIET AGAIN THE MORN. MEBBE!

WHEN FURNITURE NEEDS CLEARED, OOR CREW,
KEN JUST THE VERY THING TAE DO.

THAT'S IT, LADS. WE NEED TAE CLEAR THE ROOM SO YER PAW C'N REDECORATE IT.
THERE'S A LOT O' STUFF, BUT JIST PILE IT A' UP IN THE LOBBY.

WE CANNAE CRAM ONY MAIR STUFF OOT HERE. IT'S PACKED TAE THE DOOR.
PIT SOME O' IT INTO THE BEDROOMS, THEN. THERE'S MAIR TAE COME OOT O' HERE YET.

FINALLY –
THERE, A' READY F'R PAW TAE START THE PAPERIN' AN' PENTIN'.
AH HOPE HE'S NO' LONG. WE WANT TAE GET A'THIN' BACK THE NICHT, IN TIME F'R GOIN' OOT.
AYE. AN' WE DINNAE WANT TAE BE STUCK OOT HERE F'R OWER LONG.

IT'S ME. OPEN UP. AH DINNAE HAE MA KEY.
JINGS! THAT'S PAW BACK WI' A' THE STUFF – BUT WE'RE TRAPPED IN THE BEDROOMS. WE CANNAE GET NEAR THE DOOR TAE LET HIM IN.

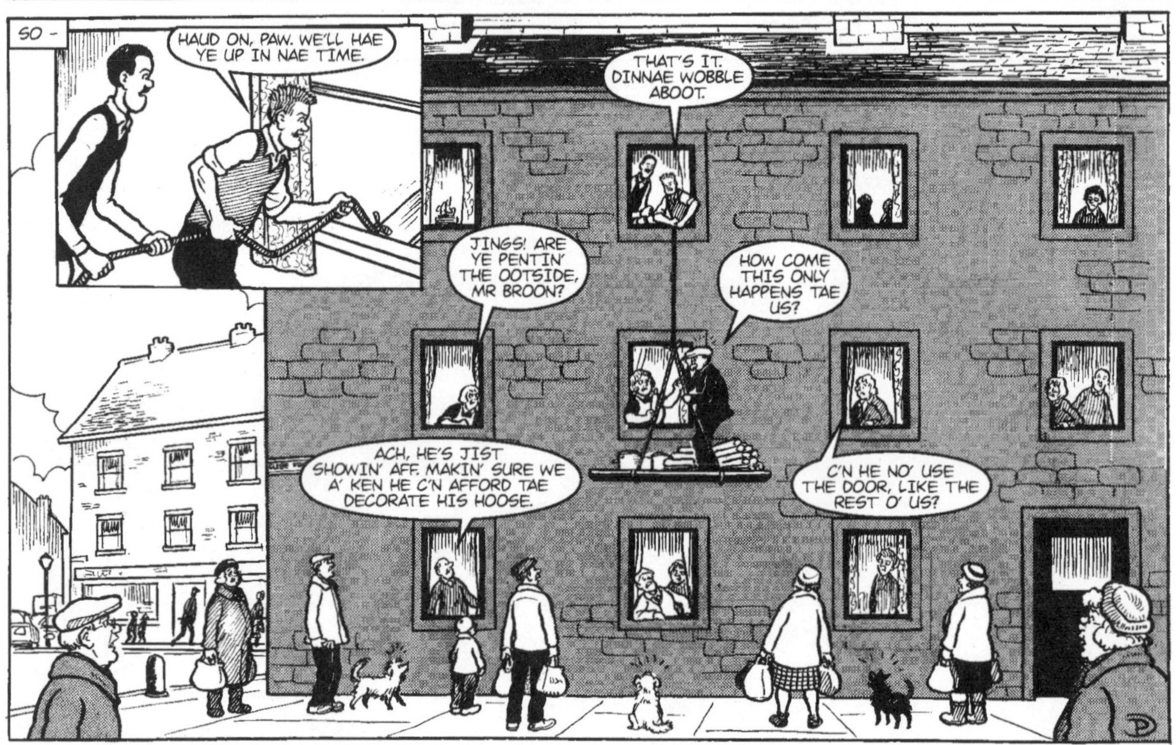
SO –
HAUD ON, PAW. WE'LL HAE YE UP IN NAE TIME.
THAT'S IT. DINNAE WOBBLE ABOOT.
JINGS! ARE YE PENTIN' THE OOTSIDE, MR BROON?
HOW COME THIS ONLY HAPPENS TAE US?
ACH, HE'S JIST SHOWIN' AFF. MAKIN' SURE WE A' KEN HE C'N AFFORD TAE DECORATE HIS HOOSE.
C'N HE NO' USE THE DOOR, LIKE THE REST O' US?

GRANPAW AND HIS BRAW RESERVES,
ARE MAKING MAIR THAN FRUIT PRESERVES.

JINGS! HERE COMES HEDLEY NISBET, THE MEENISTER. HIDE GRANPAW IN THE CUPBOARD, HEN.
LAST WEEK HE CA'ED THE MEENISTER DEADLY HEDLEY - TAE HIS FACE.
I NEVER DID! NO' UNLESS HIS FACE IS ON THE BACK O' HIS HEID.

...SO WILL YOU PICK MY APPLES AND MAKE THEM INTO PIES AND PRESERVES FOR THE OLD FOLKS?
WE'D LOVE TAE HELP, YER REVERENCE. BUT WE'RE A' DOON WI' THE BACK LUMBER.
ME'S OWER WEE TAE PICK AIPPLES. ME JIST LIKES EATIN' 'EM.

I'LL DAE IT.
GOOD GRACIOUS!
IT'S GRANPAW. HIM'S BEEN PRESSED INTAE THE PRESS.

I'LL PICK YER AIPPLES, MEENISTER. I - I WIS JIST GETTIN' MY STEPS.
MISTER BROWN SENIOR! WELL I ...

GIE ME THAT! YOU'RE OWER AULD TO BE TEETERIN' ABOOT UP A LADDER PICKIN' AIPPLES.
ACH! THAT'S AGE DISCRIMINATION.

A WEE WHILE LATER -
PAW! PAW! SOMEBODY'S TA'EN OOR TRAMPOLINE FAE ROOND THE BACK.
IT'LL BE THAE WEE BAIRNS FAE DOONSTAIRS.
AWA'. IT'LL BE THON BIG BAIRN FAE DOON THE STREET. YER GRANPAW!

AND -
STOP THAT, YE AULD GOAT. YE'LL DAE YERSEL' A MISCHIEF.

IF I DO, ANNIE AN' HER SISTER NELL ARE MY RESERVES.
AYE. OOR NELL'S A TERROR ON THE TRAMPOLINE.
MICHTY! THEY'RE WORSE THAN ONY BAIRNS.

JOLLY GOOD, EVERYONE. CAN I LEAVE IT TO YOU TO MAKE THE PIES AND PRESERVES?
NAE TROUBLE, YER WORSHIP. WE'RE AULD FOLK, SO WE KEN WHIT WE LIKE BEST.

AYE, A PUCKLE TOFFEE AIPPLES...
...AN' THE REST FOR THE CIDER MAKIN' BARREL.
HA! HA! YOU'RE AN AWFY MAN, BROON.

SASSIDGES ARE NO' THAT GREAT,
SERVED IN A MUG AND NO' A PLATE.

THAT WIS GRANPAW. HIS COOKER'S NO' WORKIN', SO HE'S COMIN' OWER TAE HAE BREAKFAST WI' US.
SLUUURRRP! HIM'S NO' GETTIN' MY CRISPIES.
AULD CHANCER. HE'LL BE ON THE SCROUNGE AGAIN.
THAT WIS QUICK. BUT YE'VE NO' PIT YER TEETH IN, YE SILLY AULD MAN.
SHNAE PROBLEM. I LIKE TAE LEAVE MY WALLIESH OOT ON A SHUNDAY. GIES MY GUMS A RESHT.
SOGGY TOAST FOR YOU, THEN.
DANNAE FASH OWER ME. I'VE BROCHT MY AIN SHTUFF, AN' I'LL COOK IT MYSHEL'. I'M NO' HELPLESSH.
JINGS, THAT SMELLS AWFY GUID.
AYE. IT'SH A' MY FAVOURITES.
SHTORNOWAY BLACK PUDDEN, TATTIE SHCONES, SHQUARE SHASHIDGE, BACON, MUSHROOMSH, BEANSH, LINK SHASHIDGES, TWA EGGS, TOAST, AN' BROON SHAUCE TAE FEENISH AFF.
HELP MA BOAB, HOW WILL YE MANAGE A' THAT WI'OOT YER WALLIES?
EASHY. INTAE THE LIQUIDISHER.
WHIT A WASTE O' GUID FOOD.
NO IT'SH NO'. IT'SH A BRAW BIG BREAKFASHT SHMOOTHY.
THAT'S DISGUSTIN'! SMOOTHIES ARE MEANT TAE BE HEALTHY.
MINE ISHNAE - BUT IT'S AWFY GUID. CHEERSH, FOLKSH!
DINNAE WORRY. I'LL STICK TAE SERVIN' OOR FOOD ON PLATES.
I'LL HAE A WEE CUP O' TEA NOW, MA WEE LAMB. AN' A SHLICE O' TOAST TAE DUNK IN IT.
YE'RE AN AWFY MAN, GRANPAW BROON.

SOME DRASTIC ACTION'S NEEDED WHEN,
A PLAGUE O' WASPS HIT NUMBER 10.

JINGS! WE'VE GOT A WASPS' BIKE IN THE ATTIC. I WONDERED WHIT THON BUZZIN' NOISE WIS.
COME DOON AFORE YE GET STUNG. RING GRANPAW. HE'LL KEN WHIT TAE DAE.
GRANPAW? PAW SAYS YE KEN A'THIN' ABOOT WASPS AN' BIKES. IS THAT RICHT?
WASPS? AYE, I'M A CHAMPION. I'LL BE ROOND IN ABOOT TEN MEENITS.
BUT –
I WIS AUCHENTOGLE WASPS' ROAD RACE CHAMPION BACK IN 1933. STILL GOT THE BIKE AN' GEAR TAE.
OCH, IT'S NO' THON TYPE O' BIKE. IT'S A NEST O' WASPS. THAE BUZZIN' THINGS THAT STING YE.
IS THAT A'? I'LL SOON SORT THAT. GET ME THE SUNDAY POST, A CHAIR AN' SOME MATCHES.
ARE YE SURE YE KEN WHIT YE'RE DAEIN', GRANPAW?
OF COURSE. IT'S AN AULD TRICK I PICKED UP YEARS AGO.
HIM'S UP TAE SOMETHIN'.
MICHTY. HE'S GOIN' TAE SMOKE THEM OOT.
AYE – AN' SET THE HALE HOOSE UP AN' A'. BEST KEEP AN EYE ON HIM, PAW.
FAITHER? ARE YE OKAY? HAE YE USED THE PAPER TAE BURN THE NEST?
NO, LADDIE. I'M JIST CATCHIN' UP ON THE FITBA' SCORES AN' HAEIN' A WEE SMOKE FORBYE. WASPS CANNAE ABIDE THE SMELL O' MY BOGEY ROLL. IT'S WORKIN' LIKE A DREAM.
JINGS!
THEY'RE AWA' – AN' THEY'LL NO' BE BACK.
I THINK I'LL GO AS WEEL. WHIT A REEK.
THIS IS WORSE THAN THE WASPS. WE'LL BE SMELLIN' LIKE ARBROATH SMOKIES FOR WEEKS!

DAPH AND MAGGIE WI' GLAD RAGS ON,
ARE OOT TAE DANCE UNTIL THE DAWN.

AT THE BUT 'N' BEN -
WE'LL SEE YOU LOT LATER. WE'RE AWA' TAE THE AUCHENTOGLE SUMMER CEILIDH.
WI' A' THAE BIG FERMER LADS. BRAW!
WATCH THE AUCHENTOGLE BOGLE DOESNAE GET YE ON THE WAY HAME.
IT'S GOT STARIN' RED EEN AN' TWA BIG HORNS . . .

WHIT'S THE TOGLY BOGLY?
HE'S A . . .
ENOUGH! YE'LL SCARE HER. BEDTIME, MA WEE LAMB.

DINNAE WORRY, BAIRN. PAW'S HAVERIN'. IT'S JIST A STORY.
HERE, LET'S PLAY A TRICK. THAT'LL TEACH HIM TAE UPSET YOU.
ME AN' TED NO' LIKE TOGLY BOGLY MAN.

HOW'S THIS, BAIRN? IT'S A TATTIE BOGLE MANNIE. WE'LL SEE HOW PAW AN' GRANPAW LIKE HIM.
LET'S START HOWLIN' TAE WAKE A'BODY UP.
FUNNY MANNIE. HIM NO' SCARY AT A'.

OOOOOOO!
WHIT'S THAT NOISE, LADDIE?
MEBBE A BURGLAR. BUT WE'LL SEE HIM AFF, EH?

ACH, IT'S ONLY DAPHNE BACK FRAE THE DANCIN'. YER EYES ARE LOOKIN' A BIT RED, LASS. HAVE YE HAD A GUID TIME, THEN?

SUDDENLY -
AAAAGH! IT'S THE AUCHENTOGLE BOGLE! IT'S COME TAE LIFE! HELP!
WHIT'S THAT YE'RE SAYIN'?

ME WANT STORY ABOUT THE TOGLY BOGLY.
ANITHER NICHT, PET.
IMPIDENT WEE NYAFFS! COME OOT AN' FACE ME!

ANE WEE BROCHURE HAUDS THE KEY,
TAE WHERE THE NEXT HOLIDAY MICHT BE.

OOR TRIP TAE BLACKPOOL FAIR GAVE ME A TASTE FOR TRAVEL. HOW ABOOT GOIN' TAE ITALY THIS YEAR?
OWER MUCH PASTA THERE. IT'S BRAZIL AN' FITBA' ON THE BEACH FOR ME.
OR GREECE. IT LOOKS AWFY BONNIE IN THIS BROCHURE.

MICHTY! I DINNAE FANCY FLYIN' ONYWHERE WI' STRIKES AN' THON VOLCANO LETTIN' AFF STEAM. A' THE FLIGHTS ARE UP IN THE AIR.
HA! HA! THAT'S THE PROBLEM, MAW. THEY'RE NO' A' UP IN THE AIR.
ME'S MAKIN' MY AIN BROSHUR.

I'M FOR GOIN' TAE ICELAND AN' SEEIN' THE VOLCANOES CLOSE UP.
YE CAN COUNT ME OOT O' THAT, HORACE. AN' MAW'S RICHT ABOOT NO' FLYIN'. WE SHOULD GO SOMEWHAUR ON THE FERRY.
ICELAND

WHA FANCIES IRELAND? THE CRAIC'S GREAT THERE.
FINE - BUT GRANPAW'S AN AWFY BLETHER. WE'D NEVER GET HIM HAME.
IRELAND

YE'VE NO' LOOKED AT MY BROSHUR YET.
but AN Ben holladays

At the But AN BEN the WEATHER is Aye BraW
Even When it's raikin

Naebody 'Bothers us
We dae AS WE Please

MICHTY! THE BAIRN'S RICHT. OOR BUT AN' BEN'S THE HAPPIEST PLACE ON EARTH.
WHIT TOUCHIN. I'M ABOOT GREETIN'.
PASS ME A HANKIE, HORACE.
It's the Happiest Place on Earth

MY WEE LAMB. YE'RE THE SMERTEST ANE IN THE FEMILY.
AYE. ME KENT THEY'D LIKE MY HOLIDAY BEST. AN' IT'S CHEAP, TAE.

TO KEEP HIS FAMILY SAFE, PAW'S KEEN,
SO HE HAS BOUGHT A BRAW MACHINE.

THIS IS BRAW FUN. IT'S YEARS SINCE WE'VE DONE A JIGSAW.
I'VE A SNEAKY WEE PAIR O' SCISSORS TAE HELP MAKE THE PIECES FIT.
GRANPAW! THAT'S CHEATIN'.
THE JIGSAW WILL HAE TAE WAIT. I NEED THE TABLE FOR MY NEW PAPER SHREDDER.
IT'S TIME WE SHREDDED A' OOR OLD MAIL IN CASE SOMEBODY STEALS OOR IDENTITY.
IF ONYBODY GOT MY BANK DETAILS THEY'D JUST GREET.
SHRED ANYTHING WI' OOR NAME AND ADDRESS ON IT.
NO' THIS LETTER, IT'S FRAE TAM SMART.
IT'S ADDRESSED TAE MISS BROON, MAYBE IT'S ME HE'S KEEN ON.
HERE'S AN AULD ENVELOPE WI' YOUR NAME ON IT, PAW.
SHRED, SHRED, SHRED, HORACE!
BILL MCKAY LEFT £50 FOR THON ENGINE YOU SOLD HIM, PAW.
THAT'LL COME IN HANDY NEAR CHRISTMAS.
WHIRRRR!!
I PUT IT ON THE ARM O' YOUR CHAIR. IN AN AULD ENVELOPE.
OH, DINNA SAY THAT, MAW.
CRIVVENS!
HELP MA BOAB!
ABODY BACK TAE THE TABLE!
I THINK IT WAS £10 NOTES.
WELL, I WANTED TAE DAE A JIGSAW.
HERE'S A CORNER O' ANE.
GET THE SELLOTAPE.

THE BROONS AGREE THAT IT IS AWFY, HARD TAE GET A DECENT COFFEE.

CAFÉ OLÉ
OCH, I'VE BEEN WALKIN' FOR LONG ENOUGH. LET'S POP IN HERE FOR A COFFEE AN' A WARM SCONE.
GUID IDEA. THAT'LL HEAT US UP.
COFFEE

MAK' MINE A CAPPUCHINO.
I'LL HAE MOCHA. AN' ESPRESSO FOR MAGGIE.
LATTE FOR ME.
CAN YE NO' JIST GET PLAIN COFFEE? YE KEN, YON BLACK STUFF WI' A DRAPPIE MILK IN IT?

THAT WILL BE TWENTY FIVE POUNDS, SENOR BROON. SERVICE CHARGE NOT INCLUDED.
WH-WHIT? TWENTY FIVE...SPLUTTER! COUGH!
THE COFFEE'S MADE PUIR PAW COUGH, EH?
COUGH UP. HA! HA!

YE'LL NEVER GUESS WHIT IT COST, FAITHER. YE'RE JIST PAYIN' FOR A' THAE FANCY NAMES. CAPOOCHIE, LAH-TEE-DOH, MUCKA. WHIT'S WRANG WI' INSTANT COFFEE?
NO' A LOT - BUT I LIKE USIN' BEANS SOMETIMES. YE GET A RARE THICK CUP.
MAW'S GOT LOTS O' BEANS.

HERE YE ARE, GRANPAW. IT'S YER FAVOURITE COFFEE BEANS.
THANK YOU, MY WEE LAMB.

MICHTY! IT'S DISGUSTIN'.
NAE WONDER. IT'S BAKED BEANS MIXED WI' COFFEE.
THE COFFEE MADE THE TOMATTY SAUCE TURN A FUNNY COLOUR.

AN' THEN GRANPAW TURNED A FUNNY COLOUR. LOOK! I'M CAFE OLE! HA! HA! HA!
MAIR LIKE CAFE DAFT. WHIT A LADDIE.
CLACK!

NEXT DAY -
LET'S STOP AFF AT ANITHER CAFE. MY TREAT THIS TIME.
BUT NANE O' YER FANCYCHINO CAFE OLES FOR ME. IT'S PLAIN AULD-FASHIONED COFFEE I'M EFTER.
CAFE

AN' THAT'S A' YE CAN GET IN OLLY'S CAFE. UNLESS YE'RE EFTER A POT O' TEA, THAT IS. THIS IS MAIR MY STYLE.
BRAW! TEA AN' A PLAIN BISCUIT.
THAT'LL BE TWA POUNDS FUFTY, MISSUS BROON.
ME LIKES CAFE OLLY, TAE.

SKIMPY CLOTHES WORN ON THE BEACH,
LEAVES PAW BROON LOST FOR SPEECH.

LET'S HAE A LOOK AT THE PHOTIES FAE OOR GIRLIE WEEKEND IN SPAIN.
ME LIKES PHOTIE-GIRAFFES.

THEY'VE COME OOT BRAW, MAGGIE.
COME AN' LOOK, LADS.

JINGS! YOU AN' YER PALS LOOK GREAT, MAGGIE.
WAIT 'TIL YE SEE ME IN MY NEW BIKINI.
YE'VE HARDLY A STITCH ON, YE HUSSIES. THAT SHOULDNAE BE ALLOWED.

WEEL, WHEN YE'RE HIKIN' AT THE BUT AN' BEN THIS WEEKEND, YE CAN WEAR THE WOOLLEN AN' TWEED GEAR THAT'S UP THERE. I PACKED IT AWA' IN THE BIG PRESS.
AULD GROUSE.

BUT, AT THE BUT AN' BEN -
CRIVVENS! MOTHS - HUNNERS O' THEM.

THEY'VE EATEN CHUNKS OOT O' OOR HIKIN' CLATHES. PAW DIDNAE PACK THE WOOLLENS AWA' PROPERLY.
WE'LL HAE TAE WEAR THEM, THOUGH. EFTER A', WE AYE DAE WHIT WE'RE TELT.

BACK HAME -
D'YE WANT TAE SEE THE PHOTIES O' US HIKIN'?
I HOPE THEY'RE MAIR DECENT THAN THE ANES FAE YER HOLIDAY.

MICHTY! I CAN SEE YER BAHOOCHIE THROUGH THAE HOLES, MAGGIE. AN' YE'RE JIST AS BAD, DAPHNE. WHIT ON EARTH...
MOTHS GOT INTAE THE PRESS AN' HAD A FEAST ON OOR TWEEDS AN' WOOLLENS.
YE DIDNAE PIT THEM AWA' RICHT.

SO YE CAN STUMP UP FOR NEW HIKIN' OUTFITS. IT'S ABOOT TIME WE HAD NEW KIT.
CRIVVENS! MAIR MOTHS - BUT THIS TIME THEY'RE FAE PAW'S WALLET.

HOT TUBS THAT ARE A' THE RAGE,
REMIND GRANPAW BROON O' A BYGONE AGE.

THEY'RE AT THE BUT AN' BEN.
WHIT ON EARTH'S THAT THING?
IT'S A HOT TUB, GRANPAW. THEY'RE A' THE RAGE. WE'LL BE ABLE TAE SOAK IN THE WARM WATTER - NAE MATTER WHIT THE WEATHER'S LIKE.
HOT TUB
BRAW. I'LL PHONE MA AULD PALS. IT'LL BE RICHT GUID FOR OOR LUMBAGO.
HAUD ON! WHEN HEN SAID 'WE' HE MEANT ME AN' HIM.
CAN WE NO' INVITE SOME O' OOR PALS OOT?
OCH YOUR PALS ARE FINE, MAGGIE. FINE. THE MAIR THE MERRIER, IN FACT. INVITE AWA'.
THAT'S IT SWITCHED ON AN' HEATIN' UP NOW. I CANNAE WAIT.
ME NEITHER. I'LL SPREAD THE WORD TAE THE LASSIES.
BUT, A WEE WHILE LATER -
WHIT'S GOIN' ON? WHIT ARE YE DAEIN', GRANPAW?
THIS THING FAIR REMINDED ME O' OOR AULD WASH HOOSE BOILER...
...SO I THOCHT I'D GIE MY DRAWERS A GUID WASH. THEY'VE NO' BEEN DONE THIS SUMMER.
THAT'S DISGUSTIN'! I'M NO' GOIN' IN THERE 'TIL IT'S BEEN STERILISED.
ME NEITHER.
ACH, DINNAE GO ON MY ACCOUNT. I'M JIST ABOOT FEENISHED.
THEY'RE AWA' TAE THE PUB, LADS. THE COAST'S CLEAR.
AYE, THIS IS BRAW FOR OOR AULD BONES.
BUT YE OWE ME TWA QUID, BROON. THAT WIS THE BIGGEST PAIR O' DRAWERS IN THE SHOP.
MONEY WELL SPENT. YE KEN, THAE MODERN THINGS ARE WASTED ON YOUNG FOWK.

FOR DOING HIS WASHING HEN'S NO' GAME,
AND ANY MISTAKES, HE'S NOT TAE BLAME.

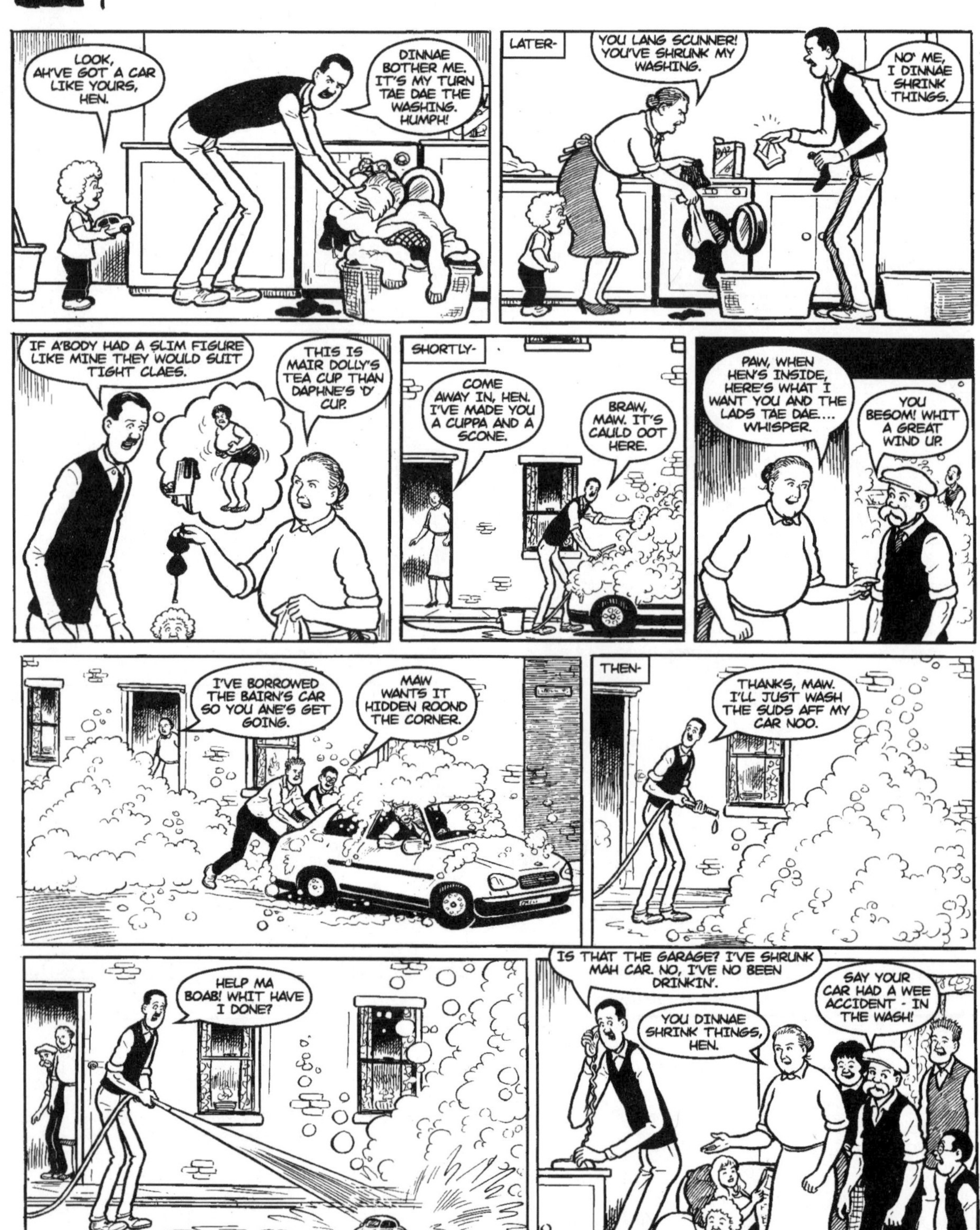
LOOK, AH'VE GOT A CAR LIKE YOURS, HEN.
DINNAE BOTHER ME. IT'S MY TURN TAE DAE THE WASHING. HUMPH!
LATER-
YOU LANG SCUNNER! YOU'VE SHRUNK MY WASHING.
NO' ME, I DINNAE SHRINK THINGS.
IF A'BODY HAD A SLIM FIGURE LIKE MINE THEY WOULD SUIT TIGHT CLAES.
THIS IS MAIR DOLLY'S TEA CUP THAN DAPHNE'S 'D' CUP.
SHORTLY-
COME AWAY IN, HEN. I'VE MADE YOU A CUPPA AND A SCONE.
BRAW, MAW. IT'S CAULD OOT HERE.
PAW, WHEN HEN'S INSIDE, HERE'S WHAT I WANT YOU AND THE LADS TAE DAE.... WHISPER.
YOU BESOM! WHIT A GREAT WIND UP.
I'VE BORROWED THE BAIRN'S CAR SO YOU ANE'S GET GOING.
MAW WANTS IT HIDDEN ROOND THE CORNER.
THEN-
THANKS, MAW. I'LL JUST WASH THE SUDS AFF MY CAR NOO.
HELP MA BOAB! WHIT HAVE I DONE?
IS THAT THE GARAGE? I'VE SHRUNK MAH CAR. NO, I'VE NO BEEN DRINKIN'.
YOU DINNAE SHRINK THINGS, HEN.
SAY YOUR CAR HAD A WEE ACCIDENT - IN THE WASH!

MAW KENS THE IDEAL GAME TAE PLAY, WHEN A'BODY PLEADS POVERTY.

I'VE A HAIR APPOINTMENT THE MORN, MAW, AN' DAPHNE'S GETTIN' HER EYEBROWS DONE. CAN WE MISS OOR BOARD MONEY THIS WEEK?
ME, TAE. I STILL OWE WEE RON FOR A LOAN AT NEW YEAR, AN' I NEED TAE MOT THE MOTOR, AN' TOP UP MY PHONE, AN'...
WE'RE A' A BIT SHORT, SO DAE YE MIND IF I...?

WELL, IT'S A FINE DAY WHEN EVEN HEN BROON TELLS ME HE'S SHORT. BUT YE'VE MADE ME THINK. I'LL TELL YE WHIT I'LL DAE WI' THE LOT O' YE.

FOR THIS WEEK ONLY, YE'LL PAY NAE BOARD AT A'. THAT'S RICHT. NO' A PENNY. OKAY?
OKAY? IT'S BRILLIANT.
YE'RE A WEE DARLIN', MAW.

THAT NICHT -
JINGS, I'M STERVIN'. I COULD EAT A HORSE.
WHIT'S THIS? WHY ARE THAE BITS O' PAPER ON THE TABLE?

THEY'RE MENUS - LIKE IN RESTAURANTS. THERE'S SOUP FOR STARTERS. THAT'S £2.50. THE SPECIALS TODAY ARE MINCE AN' TATTIES WI' PEAS, OR MINCE AN' TATTIES WI'OOT PEAS. EITHER WAY IT'S £4.99. OR YE CAN HAE THE SET MENU WI' TEA AN' BISCUITS FOR £6.99. HAE YE MADE UP YER MINDS, OR DAE YE NEED TIME TAE THINK?
IT'S AWFY TASTY.

LATER -
IT'S CUSTOMARY TAE LEAVE A WEE TIP - SO HERE'S A TIP FAE ME. IF YE NEED ONYTHIN' WASHED, THE LAUNDRY SHUTS AT EIGHT. PRICES ARE ON THE DOOR.
JINGS! I BETTER MAK' MA SOCKS LAST ANITHER DAY, I THINK.
BROONS' LAUNDRY GARMENTS £1.

LATER STILL -
ICE CREAM, ONYBODY? OR MEBBE A HOT DRINK. IT'S A' THE SAME PRICE.
AN' BREAKFAST THE MORN WILL BE SERVED AT HALF PAST SEVEN. CONTINENTAL £2.00, FULL SCOTTISH £2.99.
BROONS CINEMA

OKAY, OKAY, WE GET THE MESSAGE. HERE'S OOR BOARD MONEY.
I THOCHT YE MICHT SEE THINGS DIFFERENTLY IF I TRIED PAY-AS-YE-GO. AN' I'M THINKIN' IT MICHT BE TIME TAE PUT THE BOARD RATES UP.
ME DISNAE PAY COS ME'S A BAIRN.

IT ISN'T SOME AESOP'S FABLE,
GRANPAW AND HEDLEY AT THE SAME TABLE.

AT THE BUT AN' BEN.
THE REVEREND HEDLEY NISBET HAS INVITED HIMSELF UP TODAY.
IN THAT CASE I'M AWA' FISHING.
WHAT ARE YOU TWO LIKE?

CAN I COME WI' YOU, GRANPAW?
OF COURSE, MY WEE LAMB. HEDLEY NISBET WOULD BORE YE TO SLEEP.

THIS IS BRAW, EH WEE ONE?

GRANPAW'S CAUGHT A WHOPPER.

SNAP!
OCH! IT'S BROKEN MAH LINE.

EH'VE NAE MAIR HOOKS SO IT'S HAME TO FACE THAT HEDLEY NISBET.
AW, MY BALLOON'S GOT AWAY.
JUST LIKE MY FISH.

EEEARRRKKK! WHIT'S THAT?

YOU HAVE CAUGHT A FISH, GRANPAW.
FLUMP!!

A TRULY AMAZING TALE, MR BROWN, BUT THE LORD WORKS IN MYSTERIOUS WAYS...
HE CERTAINLY DOES, REVEREND NISBET.
WHAT'S COME OVER GRANPAW?
A TWENTY POUND SALMON, I THINK.

AND AMEN TO THAT.

THE WORLD IS CHANGING AWFY FAST,
WHILE GRANPAW BROON'S STUCK IN THE PAST.

MICHTY! THERE'S AE BIN FOR PAPER, AE BIN FOR GLESS, AE BIN FOR WEEDS. USED TAE BE THAT ONE BIN FOR A' OOR RUBBISH DID US FINE. A'THIN'S CHANGIN' THAE DAYS.

AYE, IN THE AULD DAYS WE A' USED TAE MEET UP AT THE RED BEASTIE AN' HAE A PINT WI' ROBBIE, AFORE GOIN' TO WATCH THE 'TOGLE MECHANICS FITBA' TEAM.
THE RED LION

NOW THE TV SCREENS ARE BIGGER THAN THE MECHANICS' GROOND.

AN' THIS WIS A WEE BAKEHOOSE WI' A CHOICE O' PLAIN OR PAN. NANE O' YER FANCY KWASONGS OR CHEERY-BATTA BREID.

EVEN BONNIE WEE JEANNIE McCOLL'S FAIRLY CHANGED. AN' NO' FOR THE BETTER. SHE'S HAD THAT MONY FACELIFTS YE DINNAE KEN IF SHE'S SMILIN' OR HAD A FLEG.

WELL HELLO THERE, HANDSOME.
MICHTY! WHIT A SICHT! SHE WIS FAR BONNIER AFORE.

WHY CAN THINGS NO' BIDE AS THEY ARE? WHY DOES A'THIN' HAE TAE CHANGE?

CHANGE, DID I HEAR YE SAY? SOME THINGS DINNAE CHANGE OFTEN ENOUGH. COME AWA' IN.
WHIT ARE YE ON ABOOT, MAW?

YER SOCKS! IT'S HIGH TIME THEY WERE CHANGED, AULD MAN. I'VE NO' SEEN THEM IN THE WASH A' WEEK.
ACH! A'THIN'S CHANGIN' OWER FAST. I WHILES GET FORGETFU'.

WELL, A CUPPAE TEA AN' A WEE BIT O' MY SHORTIE SHOULD CHEER YE UP.
AYE. THIS IS AE THING THAT MUST NEVER CHANGE. MAW BROON'S SHORTBREAD.
ME DISNAE WANT YOU TAE CHANGE EITHER.

WI' BRACES, CAKES AND CLICKING TEEF,
THIS TALENT SHOW'S BEYOND BELIEF.

WHIT'S THAT THEY'RE PITTIN' UP OOTSIDE THE INSTITUTE?
IT'S A BANNER ABOOT THE LOCAL TALENT CONTEST. THE FEMILY'S BEEN TALKIN' ABOOT IT FOR WEEKS. THEY'RE LOOKIN' FOR SINGERS, DANCERS, MAGICIANS, WHITEVER.
AUCHENTOGLE'S GOT TALENT
CRIVVENS! DINNAE TELL ME YOU'RE ENTERIN' AN' A', MAW?
NO' ME. I'M DAEIN' THE CATERING FOR THE AUDITIONS. THE KITCHEN'S WHAUR MY TALENTS LIE, NO' THE STAGE.
OCH, I'VE BEEN A RARE ENTERTAINER A' MY DAYS. I'LL SHOW THEM WHIT REAL TALENT IS.
SO -
AUCHENTOGLE'S GOT TALENT
DANCIN' THE FANDANGO, WE HAE GRANPAW BROON.
MICHTY! WHIT ON EARTH'S HE GOT IN HIS HAUNDS?
ACH! I'VE DRAPPIT MA TEESH.
NEXT!
CLICK!
AUCHENTO
CLACK!
AUCHENTOG
DAPHNE BROON SINGS THE BEE GEES.
I'M A DEAD RINGER FOR THON SUSAN BOYLE. I'LL KNOCK THEIR SOCKS AFF.
MAIR THAN THEIR SOCKS -
STAYIN' ALIVE, STAYIN' ALI-I-I-VVVVVEEEE!
JINGS! MA WIG! GET AFF. YE'RE A DANGER TAE THE PUBLIC!
AUCHENTOGLE'S GOT TALENT
NOW BRACE YERSEL'S AS PAW BROON GIES US AMAZIN' GRACE - ON THE GALLUSES!
TWANG!
WHIT AN EMBARRASSMENT. STILL, IT'S NEAR THE BREAK SO I'LL AWA' AN' GET MY BAKIN' ON THE PLATES.
MICHTY. THE CAKES ARE OWER HOT TAE HANDLE - AN' I FORGOT TAE BRING AN OVEN GLOVE.
HELP MA BOAB! CRIVVENS! OO-YA!
HA! HA! RUNAWAY WINNER O' THE AUCHENTOGLE TALENT AUDITIONS IS MAW BROON.
THE BEST BIT O' JUGGLIN' I'VE SEEN IN YEARS.

MAW NEEDS TAE SORT HER BACK,
AND FINDS A LAD THAT HAS THE KNACK.

THERE'S A NEW LAD AT THE CLINIC GOIN' TAE SORT MY BAD BACK.
POOR MAW. I HOPE IT WORKS.
I'LL PICK YE UP LATER.
THE SUNDAY POST

DO YOU DO MUCH HEAVY LIFTIN', MRS BROON?
DO FISH SWIM, MR NIVEN?
CRACK!

LATER –
ARE YE DONE YET, MAW?
AYE, BUT MR NIVEN THINKS I SHOULD BUY THIS STUFF TAE RUB ON MY BACK.

IT'S VERY GOOD AND ONLY TWENTY POUNDS.
WHIT??

I THOUCHT YOUR MASSAGE WIS TAE SORT MAW'S BACK.
PAW, WHEESHT NOW!
WHACK!!

IF YOU HAD DONE YER JOB RICHT SHE WIDNAE NEED ONYTHIN' ELSE! OUCH!
PAW! YE'RE EMBARRASSIN' ME!
WHACK!

SHORTLY –
MY BACK'S A GUID BIT BETTER.
THAT'S BRAW, MAW.

BUT MY ANKLE IS AWA' WI' MAW KICKING IT!
WELL, I WIS FAIR BLACK AFFRONTED WI' YON CARRY ON.
HOP!

HUMPH! I HAD TAE BUY THE EXPENSIVE OINMENT FOR MAH ANKLE.
OCH, YE'RE A POOR WEE SOWEL! HA! HA!

THE SHOES PAW SAID WOULD SEE HIM OOT,
ARE GETTING THE ORDER O' THE BOOT.

DAE YE LIKE MAW'S NEW COAT, PAW? SHE GOT IT CHEAP AT THE DIMESARK SALE.
RIP!
MICHTY! THE SLEEVE'S COME AFF.
I'M NO' SURPRISED. YE GET WHIT YE PAY FOR.
HOW MONY TIMES HAE A TELT YE THAT IT PAYS TAE BUY GUID QUALITY THAT'LL LAST FOR YEARS? BUT DAE YE LISTEN? NO. A' YOU LASSIES CARE ABOOT IS FINDIN' SO CA'ED BARGAINS! WASTE O' MONEY!
AYE, YE'RE RICHT, PAW.
JIST A WASTE O' MONEY.
CLOGS
LOOK WHAUR I SHOP - THE DEAREST PLACE IN TOON. BUT THAE SHOES'LL SEE ME AWA'. QUALITY SAVES MONEY IN THE LONG RUN.
NEW SHOES? PIT THEM ON AN' LET US SEE THEM.
CLOGS
THEY LOOK A BIT NIPPIT. YE SHOULD TAK' THEM BACK AN' GET A BIGGER SIZE.
NO, NO-OOOO! THEY'RE FINE! FINE!
CRUNCH!
SILLY AULD GOWK. HE'S OWER PROUD TAE ADMIT THAT HE SPENT A FORTUNE ON THE WRANG SIZE O' SHOES.
AYE, BUT WE CAN TAK' THEM BACK. IT'LL GIE US A CHANCE TAE SEE INSIDE THAT POSH SHOP.
CLOGS
SO -
MICHTY! NEAR FOWER HUNNER QUID FOR A STRAP AN' A HEEL.
MY HUSBAND BOUGHT THESE HERE THIS MORNIN', BUT HE NEEDS THE NEXT SIZE UP.
I THINK NOT, MODAM. THESE NASTY SHOES HAVE JUST BEEN PUT IN ONE OF OUR BAGS.
EH? BUT...
CLOGS
I THINK YOU'LL FIND THAT THE ER - FOOTWEAR CAME FROM THE ESTABLISHMENT ACROSS THE STREET.
MIKE'S MERKET STALL! OH, MY! I'M MAIST AWFY SORRY.
BLACK AFFRONTED
EVERYTHING A POUND
THE AULD SKINFLINT. WHIT A DISGRACE.
I'LL GIE YE QUALITY! YE JIST PIT CHEAP SHOES IN A POSH BAG. COST ME A RICHT RED FACE, IT DID.
AN' I THINK I'M GONNAE BE PAYIN' FOR THAT FOR A WHILE.
THUMP!
CLOGS
THE SUNDAY POST

SOME BROONS MAY YET HAVE TO FACE,
A FLITTING DUE TAE LACK OF SPACE.

JOE! D'YE MIND? I'M NO' FEENISHED YET.
OCH, HURRY UP. AH'VE GOT A BUS TAE CATCH.

HEN! LOOK WHIT YE'VE MADE ME DO, YE EEJIT!
SORRY, DAPH.
SHOVE!

JINGS! WATCH WHIT YE'RE DAEIN' WI' THAT SPRAY, WUMMAN!
GET OOT O' THE WAY, THEN.

THIS PLACE IS A MAD HOOSE IN THE MORNIN', MA WEE LAMB. WE'LL JIST GIE THEM A' SPACE AN' OPEN THE POST. THIS ANE'S FOR YOU.
ME LIKES OPENIN' PARCELS.

EFTER WORK -
THE HOOSE THAT'S FOR SALE IS AT 10 GLEBE STREET, SENGA. APPARENTLY IT'S OWER WEE FOR THEM.
WID YE LISTEN TAE THAT?

WHA SAID THAT THE HOOSE WIS UP FOR SALE?
MISS BROON. VIEWIN' OPENS THE NICHT FOR ONYBODY THAT'S INTERESTED.

WHIT DO YOU TWA THINK YE'RE DAEIN', TRYIN' TAE SELL THE HOOSE?
AN' AHENT OOR BACKS TAE.
WHIT ARE YE BLETHERIN' ABOOT? WHA'S SELLIN' THE HOOSE?

ME IS!
WHIT? THE BAIRN?

AYE - THIS HOOSE. IT'S OWER WEE FOR MY NEW TRAMPZ DOLLIES THAT CAME THE DAY, SO I GOT HORACE TAE PIT AN AD IN THE SHOPPIE WINDAE.
AN' SHE'S HAD FOWER NOTICES O' INTEREST A'READY.
WHIT A LASSIE!
P.

MAGGIE FINDS THE IDEAL PLACE,
TAE PUT A SMILE ON DAPHNE'S FACE.

FANCY A TRIP TAE THE LONDON FASHION WEEK, DAPHNE?
I WISH I COULD BUT I'M BROKE AN' FAIR FED UP.
TELL ME ABOOT IT. SHE'S BEEN MOANIN' FOR DAYS.

WELL HOW ABOOT A BUS TOUR TAE INVERSHOOGLE? THAT'LL CHEER YE UP.
YE MEAN I'LL GO THERE, AN' YOU'LL GO DOON TAE LONDON?

DINNAE BE DAFT. YE DINNAE THINK I'D LET YE LOOSE IN INVERSHOOGLE ON YER AIN, DAE YE? WE'LL BAITH GO.

ONYWAY, WHIT'S LONDON GOT THAT INVERSHOOGLE'S NO'?
SHOPS, PARKS, RESTAURANTS, GALLERIES, MAIR SHOPS, PALACES, PEOPLE. D'YE NEED ME TAE GO ON?

BUT LOOK. THERE'S A SHOP HERE AN' A'. AN' EMPORIUM TAE BOOT. LET'S SHOP 'TIL WE DROP.

WID YOU TWA BONNIE LASSIES HELP OOT AT THE INVERSHOOGLE FASHION WEEK?
WHIT?
SHE MEANS AYE, OF COURSE WE WILL.

YE'LL BE MODELLIN' THE LATEST IN BILER SUITS AN' TOP O' THE RANGE COUNTRY GEAR.
MICHTY!

THIS IS BRAW. WE WOULDNAE HAE GOT TAE DAE THIS DOON IN LONDON.
AYE - AN' YE'D NEED FOWER SUPERMODELS TAE FILL THIS OOTFIT!

I THINK YE'VE CLICKED WI' THON YOUNG FERMER, DAPH.
NAE WONDER. IN THIS SUIT HE PROBABLY THINKS I COULD MEND HIS TRACTOR.

BACK HAME -
THIS NEEP'S FOR YOU, MAW. MY FERMER LAD SAYS HE GROWS THEM WI' INVERSHOOGLE WRITTEN RICHT THROUGH THEM.
WELL DONE, LASS. NOW DAPH'S MAIR CHEERY WE CAN A' RELAX.

A DATE WI' BELLA SOUNDS REAL NICE,
BUT DINNA TAKE PAW BROON'S ADVICE.

AT WORK -
LISTEN, BELLA, I'LL GET MY SON HEN TAE TAK' YOU DANCIN'.
BRAW! I'VE NO BEEN OOT SINCE TAM LEFT ME FOR THON GLAIKIT WAITRESS. NO' THAT I'M BITTER, MIND.

AT HOME -
SO THAT'S A DATE FOR YOU, HEN. MEET BELLA IN THE SOCIAL CLUB. SHE'S A FINE LASS, ABOOT THE SAME AGE AS YOU.
PITY IT'S THE NOO. I'M NEAR SKINT AND NEEDIN' A NEW SUIT.

LISTEN, SON, LET'S HAE A MAN TO MAN CHAT.
SHOULD WE NO' HAE HAD THIS WHEN I WIS TEN?

BELLA WORKS WI' ME IN THE SHIPYARD. SHE'S NO A FANCY DAME - PICK UP A SUIT SECOND HAND. BELLA WILL NEVER BOTHER.
WELL, IF YE'RE SURE.

FRIDAY NIGHT -
I RECOGNISE YOU.
BELLA? AYE, PAW SAID TAE WEAR THIS FLOOER.

NO THE FLOOER - THE SUIT! THIS WIS MY TAM'S AND I PUT IT IN THE CHARITY SHOP!
YE THINK?

AYE! THAT MARK'S THE PUDDIN' SUPPER I FLUNG AT HIM THE NICHT HE RUN AFF!

IT STILL MAK'S ME MAD!
WAIT! I'M NO TAM! I'M JIST IN HIS AULD SUIT.

GET IT OOT O' MY SICHT!
OOOCH!

SHORTLY -
MICHTY! WHIT HAPPENED, HEN?
DID IT NO GO SAE WEEL, SON?
YOU AND YOUR ADVICE! I'VE A GUID MIND TAE GIE YOU SOMTHIN' - MAN TAE MAN!

JULIE ANDREWS MICHT THINK IT GHASTLY,
THE HILLS ARE ALIVE WI' THE SOUND O' RICK ASTLEY.

LISTEN TAE THIS RICK ASTLEY.
I LOVED EIGHTIES MUSIC.
TCH! THERE'S AYE A MUCKLE NOISE IN THIS HOOSE.
SUNDAY POST

MAW, LET'S GO FOR A QUIET PICNIC IN THE COUNTRY LIKE WE USED TAE DO.
OKAY.

GREAT IDEA. REMEMBER THON BRAW PICNIC SPOT ON THE HILL BY PERTH.
I'LL DRIVE US OWER.
I DIDNAE EXPECT YOU TAE BE KEEN.
I'LL SPREAD SANDWICHES AND FILL THE FLASKS.

THEN-
READY.
YE DINNA NEED TO WEAR AULD CLAES. I'VE A BIG TARTAN RUG TO SIT ON.
THEY'RE UP TAE SOMETHIN'.

SOON-
ISN'T THIS PEACEFUL? JUST THE CHIRPIN' O' THE BIRDS...

CHIRP!
WHAT?
...AND THE HITS O' THE EIGHTIES FROM THE REWIND FESTIVAL WE COULDNAE GET TICKETS FOR.

YOU'VE BEEN HAD, PAW BROON!
CRIVVENS! IT'S WORSE THAN BACK HAME!
HA! HA! THAT'S WHY THEY A' DRESSED IN THEIR EIGHTIES GEAR.

THE TWINS HAVE FOUND AN ANCIENT THING,
A FINE AULD HORN, FIT FOR A KING.

THEY'RE AT THE BUT AN' BEN.
ACH, CAN YOU BAIRNS NO' GIE US A BIT O' PEACE?
SORRY, HEN. IT WIS AN ACCIDENT.
COME ON. I'LL TAK' YE DOON TAE SEE THE AULD RUINS.

SO -
...AN' ON THIS VERY SPOT KING DODD BLEW THE MAGIC HORN THAT CA'ED A' THE SCOTS TAE HIM.
MICHTY!
ME LIKES TOOTIN' HORNS. PEEP-PEEP!

LOOK WHIT WE FOUND, GRANPAW. AN AULD HORN.
JINGS! IT MICHT BE KING DODD'S MAGIC HORN. THE ANE THAT BROCHT A' HIS SUPPORTERS FLOCKIN' TAE HIM.

SOME FOWK WID PAY A FORTUNE FOR A SHOT O' THAT.
DUFC

WE COULD SELL IT ON EBAY.
DAE YE THINK IT'S REALLY THE KING'S HORN, GRANPAW?
WEEL, IT MICHT BE - BUT NO' IN THE WAY YE THINK, HORACE LAD.

THIS IS TAM KING, THE SHEPHERD.
HELLO, BROON. AH SEE THE YOUNG ANES HAE FOUND MA AULD HORN.
ACH! SO IT DOESNAE CA' A' THE SCOTS THEGITHER EFTER A'.

WHY NO' BLAW IT AN' SEE, HORACE. YE MICHT BE SURPRISED.
HORACE IS AN' AWFY GUID TOOTER.

AYE, THE HORN FAIR BROCHT YER FANS FLOCKIN' TAE YE, HORACE.
WHIT IN THE NAME...
GET OOT O' HERE.
STOP EATIN' MA WASHIN', WILL YE?
AH USE THE HORN TAE CA' THE EWES IN BY AT FEEDIN' TIME. A BETTER BUNCH O' SCOTS YE COULDNAE MEET.
MICHTY. THAT WIS MAGIC RICHT ENOUGH.

WHEN IT COMES TAE SIMPLE PACKIN',
COMMON SENSE IS SADLY LACKING.

THE BAIRNS CAN SLEEP AT MY HOOSE THE NICHT. I KEN WHIT THE MORNIN'LL BE LIKE.
THANKS. BE GUID FOR YER GRANPAW, MIND.
ME LIKES SLEEPIN' AT MY GRANPAW'S.
10
WE'LL GET TAE BIDE UP 'TIL MIDNIGHT.
NEXT MORNIN' -
HERE WE GO AGAIN. I HOPE IT'S NO' AS BAD AS LAST YEAR.
DINNAE BE OWER HOPEFUL. I'D BETTER PIT ON MY HARD HAT JIST TAE BE SAFE.
RICHT, IT'S TIME FOR T IN THE PARK, SO HERE'S WHIT YE NEED...
WHAUR'S MY WELLIES?
WHAUR'LL I PIT THE LOO ROLLS AN' DISINFECTANT WIPES?
WHAUR'S MY HOT BOTTLE COVER, MAW?
WHIT A DISORGANISED SHOWER!
HAE YE GOT THE TENT POLES?
AN' THE TENTS?
AYE. SEE YE ON SUNDAY NICHT.
WHAUR'S THE SUNTAN LOTION, MAGGIE?
IT'S IN WI' MY RAINCOAT.
STAUND FIRM. ONY MEENIT NOW...
FIVE, FOUR, THREE, TWO...
I FORGOT THE MIDGE SPRAY.
WHAUR'S MY SUNGLASSES?
HAE YE SEEN MY TOOTHBRUSH?
SHOVE!
IT'S THE SAME EVERY YEAR. BUT THEY'RE AWA' - AT LAST.
AYE. NOW WE CAN ENJOY OOR AIN FESTIVAL O' PEACE AN' QUIET - TEA IN YER SARK.

JOE MICHT HAE A STRONGER BLAW,
BUT THE BRAINS BELONG TAE OOR GRANPAW.

GRANPAW HAS AYE BEEN THE BLOW FITBA' CHAMPION.
BOO!
I DINNAE HAVE THE WIND FOR IT NOO.
JINGS! GRANPAW'S NO LOST A GOAL SINCE WALTER SMITH WIS A BOY.

HALF-TIME. WE'LL TAK' SOME FRESH AIR TAE GET MY AULD LUNGS WORKIN' AGAIN.

LOOK AT A' THE LEAVES COMIN' DOON.
AYE! IT'S THAT TIME O' YEAR.

WE'LL HAE OOR DENNER NOO, TAM.
KEN WHIT I'M GOIN' TAE DO?

KICK THEIR PILE O' LEAVES! I LOVED DAEIN' THIS AS A LADDIE.
BRAW FUN!
WIS THERE LEAVES BACK THEN TAE?

WAIT A MEENIT... AWA' YOU AND RUN AND FETCH JOE.
DOES HE LIKE TAE KICK LEAVES TAE?

AN' WE'LL JUST BORROW THESE CONTRAPTIONS WHILE THE WORKIES ARE HAEIN' A WEE SNOOZE EFTER THEIR PIECE.

THEN-
ARM YERSEL, JOE. THE SECOND HALF O' THE BLAW FITBA' MATCH IS ABOOT TAE START.
WHIT?

HA! HA! YE AULD TWISTER!
GOAL TAE ME! THE LEAF BLOWERS FAIR SAVE YER PUFF!
WOOOOSH!
TWA NIL! GRANPAW IS STILL CHAMPION!

TREAD FAMOUS FOOTPRINTS TAE SIGN A DEAL,
BRINGING YOU MUSIC WI' BROONS APPEAL.

I CANNA BELIEVE THIS IS HAPPENING TAE US BROONS.
INVITED TAE ABBEY ROAD STUDIOS TAE LAUNCH OOR AIN CD.
AND WE'RE NO GOIN' TAE LONDON ON ANY AULD TRAIN.
I FEEL LIKE A CELEB.
WHAUR'S MY SPORRAN.
JINGS! I'M WALKING OOT O' MY HEELS.
ARE YE PROUD, PAW?
AYE, MAW.
THE BROONS ARE ON THE FAMOUS FLYING SCOTSMAN-
I'D SHOVEL COAL WI' YOU BUT I'VE TAE KEEP CLEAN.
THIS TRAIN IS A SCOTTISH LEGEND - A BIT LIKE OORSELS, MAW.
DOES ENGLAND HAE HEATHER?
NAW, JIST ROSES.
L N E R
YOU HAVNAE HEARD O' AUCHENTOGLE? MAN, WHAUR HAE YOU BEEN HIDING?
ABBEY ROAD-
DID THE BEETLES NO GET SQUASHED CROSSIN' THIS ROAD?
THEY WERE BIG BEATLES, MY WEE LAMB.
ALMOST THERE.
AT THE STUDIO-
COME BEN THE STUDIO, GRANPAW.
I SIGN HERE THEN A'BODY CAN GET OOR CD.
YOU SOUND SCOTTISH.
I'M FRAE FORFAR. WID YOU HAE A WEE DRAM TAE TOAST YOUR CD?
LEAD ON, FORFAR. ONE OR TWA WIDNAE DAE ONY HARM.
FOR THESE ARE MY MOUNTAINS, AND THIS IS MY GLEN...
HE'S SINGING A' THE SONGS FRAE OOR ALBUM.
I WENT DOON WI' A FLYING SCOTSMAN AND BACK WI' A FLEEIN' SCOTSMAN.
MICHTY! THAT'S FIVE CDs! HE'LL NO FINISH TILL MIDNICHT.
P

EDITOR'S NOTE - THIS STRIP MARKED THE RELEASE OF THE BROONS' FIRST MUSIC COLLECTION CD IN 2010.

IN THIS OOR GRAND COMPUTER AGE,
TAE BE ONLINE IS A' THE RAGE.

I'M AFF TAE SEE AULD LIZZIE IN THE HOSPITAL. I'D BETTER PHONE AN' CHECK THE BUS TIMES AFORE I GO.
DINNAE BOTHER, MAW. I'LL GET THEM ONLINE.

THERE YE ARE. FOWER O'CLOCK AT THE CROSS. DINNAE MISS IT OR YE'LL HAE HALF AN HOUR TAE WAIT.
THANKS, HORACE. I'LL TRY AN' MIND.

CAN YE RECORD RIVER TOON IN CASE AH'M NO' BACK IN TIME, PAW? I HATE TAE MISS IT.
NAE PROBLEM, LASS.

RECORD IT? DINNAE BE DAFT. YE CAN WATCH IT ONLINE ON THE iPLAYER WHENEVER YE WANT.
WHIT NEXT?

I'LL SEE IF I'VE GOT ENOUGH TAE BUY LIZZIE SOME FLOO'ERS FAE THE CORNER SHOP.

LEAVE THAT TAE ME. I'LL ORDER THEM ONLINE AN' GET THEM SENT STRAIGHT TAE THE ROYAL.
CRIVVENS! IS A'THIN' ONLINE NOWADAYS?

DOIN' THINGS ONLINE SAVES A LOT O' BOTHER, MAW.
AN' TIME.
AYE. IT SOUNDS GUID.
ME'S ONLINES ARE AWFY SQUINT.

NOW I THINK ABOOT IT, THERE'S SOMETHIN' ELSE ONLINE I WANT YE TAE DAE FOR ME WHEN AH'M OOT.

BRING THE WASHIN' IN AFORE IT RAINS, SHE SAID! THAT'S AN ONLINE JOB THEY'RE NO' SAE HAPPY WI'. HA! HA!
DINNAE STRETCH MY JUMPER, HEN.
HOW NO'? IT'S USED TAE BEIN' STRETCHED!
STRETCH!
WATCH WHIT YE'RE DAEIN', JOE. THAT SKIRT'S DIOR.
CRUMPLE!
DEAR? HOW CAN YE NO' BUY CHEAP STUFF LIKE THE REST O' US?

DAPHNE IS A HAPPY LASSIE,
HER FARM LAD SEEMS REALLY CLASSY.

AT THE BUT AN' BEN.
THAT WAS DONAL. HE WANTS TAE GIVE ME A HURL IN HIS NEW MOTOR. SAYS IT'S REALLY LUXURIOUS.
YOU LUCKY THING.

DON'T YOU WISH YOU HAD A DONAL. WE'RE EVEN HAVIN' A BITE TAE EAT AS WELL.
STOORIE CAFE.
ENVY!
NOBODY TAKES ME OOT IN A FLASH CAR.

HI, DONAL. YOU'VE NO' EXACTLY PUSHED THE BOAT OOT IN THE CLOTHES DEPARTMENT.
I'M TOO EXCITED. I'VE BEEN POLISHING MY NEW MACHINE.

YOU'LL LOVE IT. IT HAS A BRAW CD PLAYER, THERE'S EVEN HEATED SEATS IN THE CAB.
CAB!! WHAT KIND O' CAR IS THIS?

SHORTLY-
WHAT A BONNIE DAY FOR A WALK O'ER WHINNY HILL.
DAPHNE WILL BE SWANKIN' ABOUT IN DONAL'S NEW MOTOR. THE BESOM.

MICHTY ME!
HA! HA!
IT'S DAPHNE AND DONAL.

IN HIS NEW LUXURY TRACTOR!
WHAT ROMANTIC! MAYBE HE'LL PLOUGH HER INITIALS IN THE FIELD.
THIS TRACTOR HAS EVERYTHING. THERE'S EVEN A COOL BOX FOR THE CHEESE PIECES I MADE US.
COULD IT DIG A BIG HOLE SO I CAN JUMP IN IT?

THE LADS SEEM TAE LOSE ALL REASON,
AT THE START O' THE FITBA SEASON.

IT'S THE START O' THE NEW FITBA SEASON. WE'LL GET THE LADS' GEAR READY.
THEY MUST BE AUCHENSHOOGLE ROVERS' BEST SUPPORTERS.

THERE YE ARE - YOUR ROVERS STRIPS A' READY FOR THE MATCH.
BUT THE ROVERS ARE PLAYING AWAY FRAE HAME TODAY.

SO WE'LL BE WEARIN' THE AWAY STRIP.
SO YOU WANT US TAE IRON MAIR STUFF?

HOME STRIPS FOR HOME MATCHES, AWAY STRIPS FOR AWAY MATCHES. SIMPLES!
THANKLESS LOT!
WHAT A FUSS ABOOT NOTHIN'.

AT THE MATCH
WAKEN UP, KEEPER.
LOOKS LIKE HE'S STILL ON HOLIDAY.
SHOW HIM A POSTCARD, REFEREE.

HOW MANY DID WE LOSE BY?
13 - 0. BUT ONE LOOKED AFFSIDE.
I'M LOOKIN' FORWARD TAE MY TEA. SOME BRAW HAME COOKIN'.

WHIT HAVE YOU MADE US FOR TEA, MAW?
WHY ARE YOU A' DRESSED UP?

THIS IS OOR AWAY STRIP.

WE'RE AWAY OOT ON THE TOON TONIGHT.
SO YOU GUYS CAN TAK' CARE O' YERSELS FOR ONCE.
AW, NAAAAW!

A NEW BOOK WOULD HAE BEEN BRAW,
IF IT HADNAE TAKEN OOR MAN AWA'.

YOU SHOULD GO OOT WALKIN', GRANPAW. A BIT EXERCISE WID BE GOOD FOR YOU.
I'VE FAIR ENJOYED SITTIN' READING THIS BOOK.

STRETCH YOUR LEGS BY WALKING TAE THE LIBRARY FOR ANOTHER ANE.
AYE.

MAW DISNAE KEN THE MOBILE LIBRARY COMES TAE ME. HA! HA!
Library

THE BEST BOOKS ARE LOW DOON. AULD FOWK ARE TOO STIFF TAE GET DOON TAE SEE THEM.
SOON-

THERE'S NAEBODY IN, I'LL GET GOING.
CREAK!

HELP MAH BOAB!
Library

YOU...YOU... KIDNAPPER! TAK' ME BACK HAME.
AWA' WI' YOU, BROON. I'M NO' A TAXI.
Library

MINUTES LATER-
WHAT IN THE NAME ARE YOU DOING AWA' OOT HERE? GET IN, MAN.
MY FEET ARE GETTIN' A BIT SAIR, HEN.

I FOUND HIM WALKIN' OOT BY DYKEBRAE, TEN MILES AWA'.
OH, MY! I FEEL AWFY GUILTY, I WAS NAGGIN' HIM TAE TAK' EXERCISE.
PECH!

I WAS JUST TRYIN' TAE PLEASE YE, MAW. MAYBE ANOTHER SLICE O' YER SPONGE WID HELP ME.
I'LL TELL MAW THE REAL STORY LATER.
I KEN HE'S FIBBIN'.

GRANPAW'S HEADING AWA' TAE SEA, FOR A FRESH BIT FISH FOR HIS TEA.

THE BROONS ARE STILL AT THE BUT AN' BEN.
ABODY'S MAKING THEIR ANE FOOD TODAY.
BURGER FOR ME.
I'M MINCE.
I FANCY HERRING IN OATMEAL.

A TIN O' TUNA IS THE NEAREST WE'VE GOT TAE THAT.
ME AND THE BAIRN WILL WALK TAE TARBEN PIER AN' GET FRESH FISH AFF THE BOAT.

SHORTLY-
GOOD. THERE'S A FISHING BOAT AT THE PIER, MY WEE LASS.
WILL THERE BE A BOAT WI' CHIPS TAE?

SORRY, GRANPAW. ALL OOR FISH GOES ONTO THE LORRY FOR FRANCE.
YOU'LL NEED TAE START YOUR OWN FISH FARM.
MICHTY! FRANCE YOU SAY?

SWAPPEZ VOUS HERRING FOR LE VIN TATTIE?
MAIS AYE!

MAW, GRANPAW'S AWFY CLEVER AN' CAN SPEAK FRENCH.
AHEM! ENOUGH TAE BARTER FOR A PUCKLE HERRING.
PUT THEM IN THE SINK AN' I'LL CLEAN THEM.

SOON-
WHAUR DID YOU PUT THE FISH?
IN THE SINK AND THEY WERE OWER BIG TAE SWIM DOON THE PLUGHOLE.

COME AN TAK' A LOOK AT THIS.

ME PLANTED A FISH FARM TAE GROW MAIR FISH FOR GRANPAW.
AW, MY WEE LAMB. YOU'RE AYE TRYING TAE HELP YER AULD GRANPAW.
HA! HA!

NOW THE BROONS DISCONTENT, HAS REACHED THE SCOTTISH PARLIAMENT.

IT'S THE 27th. TIME TAE FILL IN OOR CENSUS FORM.
I'M THE BEST WRITER. I'LL DAE IT.

I'M THE HOUSEHOLDER. I PAY THE BILLS SO I FILL IT IN.
WE A' PAY THE BILLS.
SO WE'LL ALL FILL IT IN.

GET AWAY, IT'S MY PEN, SO THERE!
THEY'RE WORSE THAN BAIRNS WI' A FITBA.

YOU'LL NEED A BIGGER FORM, THAT ANE ONLY DOES FIVE O' A FAMILY.
WHEESHT!
NO' IF I FILLED IT IN ONLINE FOR YOU.

MIND, I DINNAE BIDE HERE.
WHAT? I FEED YE, WASH YOUR CLAES, TRIM YOUR WHISKERS...
AYE, BUT IT'S ONLY FOWK SLEEPING UNDER 10 GLEBE STREET ROOF THE NICHT I PUT IN THE FORM.

BUT I'VE INVITED SUSIE WEBSTER TAE STAY HERE TONIGHT.
AAARRGH!
AND WE'VE A SLEEPOVER AT JOCK BARRIE'S HOOSE.

I'LL NEVER GET THIS FINISHED!
DINNA PULL YER HAIR OOT. YOU'VE NO GOT ENOUGH.

LATER, IN THE SCOTTISH PARLIAMENT.
WORRYING NEWS FROM THE CENSUS, BOSS.
THE POPULATION OF SCOTLAND HAS DROPPED.
ARE PEOPLE MOVING AWAY TO WATCH BETTER FOOTBALL?
HAS CLIMATE CHANGE MADE IT TOO COLD FOR KILTS?

RELAX, PARLIAMENT. IT'S JUST THAT THE BROONS HAVEN'T SENT BACK THEIR FORM YET.
AND THEY'RE SUCH A BIG HAPPY FAMILY - JUST LIKE US.

DAPHNE'S DIET PICKS UP PACE,
WHEN GRANPAW GETS ON HER CASE.

I DON'T UNDERSTAND HOW I CAN'T LOSE WEIGHT.
WHAT YOU NEED IS A PERSONAL TRAINER TAE WORK YOU HARDER.
SHOOGLE

I'LL DAE IT FOR A TENNER A DAY.
IT'S POUNDS BLUBBER, NO POUNDS STERLING I'M WANTING TAE LOSE.

I TRAINED SOJERS IN THE ARMY AND I'LL ONLY CHARGE YOU A POUND FOR EVERY POUND YOU LOSE.
YOU'RE HIRED, GRANPAW.
HE CAN HARDLY WALK, NEVER MIND DAE EXERCISES.

NEXT DAY-
GRANPAW - I'VE JUST THIS MINUTE FINISHED WORK.
I'M YOUR ARMED ESCORT HAME, ARMED WI' A SHARP TONGUE THAT IS.

CAFE
THERE YOU ARE DAPHNE, COME AND SIT DOON. I'VE GOT THE MUFFINS IN.
KEEP MARCHING, SOLDIER!

DAPHNE, TASTE TONIGHT'S SPECIAL PIZZA AND TELL ME WHAT YOU THINK.
EYES FRONT, SOLDIER.

I'VE KEPT A' THE WEE CRISPY CHIPS FOR YOU, DAPH.
FULL RETREAT, YOU! BACK BEHIND YER LINES!

YOU KEN ME BETTER THAN I KEN MYSELF.
AYE. AND I'LL MARCH YOU PAST TEMPTATION EVERY NIGHT THIS WEEK.

SATURDAY-
YOU'RE A MARVEL. I'VE LOST THREE POUNDS - HERE'S YOUR PAY.
ARMY PAY WAS NEVER GREAT, LASS.
MICHTY ME! HOW DID HE DO THAT?

IF YOU LIKE TAE PLAY WI' TOYS,
YOU'LL AYE BE ONE O' THE BOYS.

BLIP! BLIP! TASH! TASH!
I CANNA THINK WI' THAT ELECTRONIC RACKET GOING ON.
OCH! LET THE YOUNG ANES HAE THEIR FUN.
DIT! DIT!
TING. TING.

TODAY'S TOYS ARE A' DIGITAL THIS AN' DIGITAL THAT.
WELL I'VE FOUND A BOX O' AULD TOYS IN MAH LOBBY PRESS.

OH, WOW, GRANPAW! THIS IS COOL STUFF.
I KNEW THE YOUNGSTERS WOULD PLAY WITH THESE REAL TOYS.

WE'RE NO' PLAYING WI' THEM. WE'LL SELL THEM ON EBAY.
THEN WE'LL BUY A NEW COMPUTER GAME.
WILL YE HUMPH! YOU'LL NO' SELL MY TOYS.

YOU PLAYED WITH THESE TOYS WHEN YOU WERE A BAIRN.
SO DID HEN AND JOE.

AYE, WE ROLLED MARBLES TAE KNOCK THE SOLDIERS DOON.
LOOK, I'VE WIPED OOT JOE'S GUARDS.

HERE'S OOR AULD POP GUNS AND SPUD GUNS.

GOT YE!
I'M NEEDIN' ANOTHER SPUD.
I'LL SHOOT YER BUNNET AFF!
I'M JUST WOUNDED!

TWA HITS AND YOU'RE DEID.
AWA! YE GET THREE LIVES.
CAN YE NO' STOP THAT RACKET, MAW?
OCH! LET THE AULD ANES HAE THEIR FUN.

MAW MAKES HAPPY ALL HER CREW,
THERE'S EVEN A SMILE IN THE LOO.

LOOK, OOR AIN BROONS TARTAN HOT FRAE THE WEAVERS.
IT LOOKS RICHT BRAW.

PITY WE DINNA HAE TIME TAE GET KILTS MADE FOR OOR BURNS SUPPER.
AW, YOU NEVER KNOW WHAT YE CAN DAE UNTIL YE TRY.

I'LL GET SEWIN' BEN THE HOOSE IF YOU LOOK EFTER THE FAMILY, PAW.

THE NEXT COUPLE OF DAYS-
TWINS, SET THE TABLE.
DAPHNE, KEEP MAW SUPPLIED WI' TEA.
HEN, DAE THE IRONING!

THEN-
NICE TAE SEE YOU, RUMPELSTILTSKIN.
I'VE USED UP A' OOR TARTAN. IT VEXES ME I CANNAE FIND A USE FOR THIS WEE BITTY.

YOU'VE DONE US REAL PROUD, MAW. WE'RE A' WEARIN' OOR TARTAN.
SKIRL!
MICHTY! IT'S FRAN AND ANNA!

A TOAST TAE THE BEST LASSIE OF A'. RABBIE WOULD BE PROUD O' YE.

THAT'S ABOOT THE TENTH TOAST YOU'VE HAD, MISTER.
YOU'RE RICHT, I'D BETTER GO TAE THE LOO BEFORE THE SINGIN' STARTS.

HA! HA! WID YE CREDIT IT! MAW DID FIND A USE FOR HER WEE SCRAP O' TARTAN.
P

THE BEST LAID PLANS O' MICE AND MEN,
DINNA WORK AT THE BUT AN' BEN.

I AYE WORRY THAT SOMEONE WILL HAE BROKEN IN TO OOR BUT AN' BEN.
NAE FEAR! I'VE TAKEN SPECIAL SECURITY MEASURES.

HAE YOU USED A BIGGER STANE TAE HIDE THE KEY UNDER?
OR ASKED ONE O' THE SHEEP TAE KEEP AN EYE ON THE PLACE?
VERY FUNNY.

THIS KEY ISNAE OPENING THE DOOR.
THAT'S RIGHT, MR SMARTYPANTS.

THIS IS THE KEY FOR THE SHED.
OH, AYE - SO THE HOOSE KEY IS IN THE SHED.

NO, THERE IS A KEY IN THE SHED, HIDDEN IN THE FLOOER POT.

BUT IT'S THE KEY FOR THE PEAT STORE.

AND UNDER THE SECOND PEAT FRAE THE RIGHT...

...IS THE KEY FOR THE FRONT DOOR.! CLEVER, EH? YOU ANES WILL HAE TO MEMORISE THIS.

WHAUR ARE THEY? THEY SHOULD BE LISTENING IN CASE THEY HAVE TAE OPEN THE HOOSE THEMSELVES.

HOW DID YOU LOT GET IN HERE?
YOU'D LEFT THE BACK DOOR WIDE OPEN, MR SECURITY.
COME AN' JOIN US, WE'RE GOING TAE PLAY HIDE AND SEEK. YOU'LL BE GUID AT THAT.

THE FISHERMEN ARE FEELING BOLD,
FOR HORACE COULDNAE CATCH A COLD.

AT THE BUT AN' BEN-
THERE'S THE GAMEKEEPER'S SON AWAY FISHING.
THE POOR LADDIE AYE LOOKS THAT BORED.

I FANCY A BIT FISHING TOO.
BRAW IDEA.
LETS HAE A WEE COMPETITION TO SEE WHO CATCHES THE MOST.

CAN I ENTER YOUR COMPETITION?
ARE YOU GOING TO HIT THE FISH WI' YOUR LAPTOP?
YOU DINNA KEN ANYTHING ABOUT FISHING, HORACE.

THAT'S TRUE, BUT I KNOW ABOUT BOYS THE SAME AGE AS ME - LIKE THE KEEPER'S SON.

YOU'RE DOING WELL.
I KNOW A' THE GOOD SPOTS. THERE'S NOTHING ELSE TO DO AROUND HERE.

YOU CAN USE MY COMPUTER IF I CAN USE YOUR FISHING SPOT.
IT'S A DEAL.

I'VE HOOKED A FISH.
I'M HOOKED ON THIS COMPUTER GAME.

LATER-
THE FISH WERE NO BITING AT ALL.
THEN WHAT'S THAT HORACE HAS?
I DINNA BELIEVE IT.
GET THE PAN ON. MAW.

TELL YOUR AULD GRANPAW, WERE YOU USIN' BOOKWORMS FOR BAIT?
MY COMPUTER DID IT.
TROOT DON'T TASTE THE SAME CAUGHT BY COMPUTER. MUTTER!

DAPHNE SMELLS LIKE A CATTLE BEAST,
BUT SHE'S NO' TROUBLED IN THE LEAST.

WE'LL NEED TAE GO AND SEE HOW THE BUT AN' BEN IS SURVIVING THE WINTER.
WE COULD A' GO UP TOMORROW.

MAYBE YOU'LL MEET HAMISH, THON YOUNG FARMER AGAIN, DAPH.
AYE, PUT A DAB O' YOUR NEW PERFUME ON, JUST IN CASE.
HE NEVER NOTICES I'M THERE.

NEXT DAY-
DID YOU NO' PUT PERFUME ON?
I'M NO WASTING IT ON YON TEUCHTER.

DRUMMIE BRIDGE IS DOON, WE'LL NO GET TAE THE BUT AN' BEN NOW.
WE COULD SAIL UP THE LOCH TAE TARBEN AND WALK IN FRAE THERE.

CAN YE TAK' THE BROONS UP TAE TARBEN, DONAL?
AYE, PUT THEM IN WI' THE OTHERS.

JINGS! WHAT A STINK.
THIS IS NO VERY NICE, DONAL.

OCHONE! I THOUGHT IT WAS BROON COOS YOU WERE SHIFTING.
MOOO!
MOOO!

MICHTY! I SMELL LIKE ONE O' THEM.
I MUST APOLOGISE FOR MY COOS, MISS. THEY'VE NO MANNERS AT ALL.
SHOVE!

WE'VE ONLY HALF A MILE TAE WALK FROM HERE.
I CAN'T WAIT TAE GET A BATH AND WASH THIS COO MUCK OFF.

HELLO, DAPHNE. MY, WHAT A RARE PERFUME YOU'RE WEARING TODAY.
YOU SAY THE NICEST THINGS, HAMISH.

THE YOUNG FARM LAD SEEMS RICHT KEEN ON DAPH THIS TIME.
HER EAU DE COO PERFUME DID THE TRICK. HA! HA!

WHEN HIS WIFE TAKES TO THE FLOOR, IT SHOCKS PAW BROON TO THE CORE.

HAPPY FATHER'S DAY, PAW.
THANK YOU. IT'S JUST LIKE ANY OTHER SUNDAY TAE ME.
THAT'LL BE WHY HE NEVER BUYS ME ONYTHING.

OOR AIN CD. VERY THOUGHTFUL.
YOU GAVE OOR COPY AWAY AT HOGMANAY.
AND YOU LIKE A' THE TRACKS.

I'LL PUT ON A TUNE.
FINE, I'LL HAE A WALTZ ROOND THE LINO WI' MAW AFTER I'VE READ THE POST.

THAT'S THE THEME FRAE GOLDFINGER.
YER MAW'LL NEVER WALTZ TAE THAT.

WHO SAID ONYTHING ABOOT WALTZING, MISTER BROON?
MICHTY ME!

I'VE NO BEEN GOING TO SCONE MAKING CLASSES. I'VE BEEN GOING TO SALSA DANCE CLASSES.
Y-YOU D-DON'T SAY.

SO I THOUGHT I'D GIE YOU A WEE WHIRL SINCE IT'S FATHER'S DAY.

SLIP THE DISC OOT OR YER FAITHER WILL SLIP A DISC OOT O' HIS BACK.
AYE, YOU'RE NO WRONG, GRANPAW.

STILL SAY FATHER'S DAY IS JUST LIKE ANY OTHER DAY?
NO, I'LL AYE MIND THIS YIN!
WILL I PUT YE DOON FOR THE SALSA CLASS TOO?

WILL MAW THINK HER GIFT IS COOL,
OR WILL SHE THINK HER MAN'S A FOOL?

IT'S SWELTERING TODAY.
TOO HOT FOR IRONING. I'M AWA' OOT FOR A WALK IN THE FRESH AIR.

ARE YOU MINDING IT'S YOUR WEDDING ANNIVERSARY TOMORROW?
YOU'LL NEED TO GET MAW A REAL COOL GIFT. NO' A BOX O' CHOCOLATES.
AYE, I WAS GOING TAE.
FIBBER.

SHORTLY-
A CEILING FAN! CANNAE GET MUCH COOLER THAN THAT.
ELECTRIC FAN.

A STROKE O' GENIUS, BOYS. THIS'LL KEEP MAW COOL WHEN SHE'S IRONING OR COOKING OR CLEANING.

THAT'S MAW'S ANNIVERSARY PRESENT?
THERE'S NO' A ROMANTIC BONE IN YER BODY.
AWA' SHE'LL BE DELIGHTED.

GRANPAW CUT ME SUNFLOWERS FRAE HIS ALLOTMENT FOR OOR ANNIVERSARY.
AW, HE'S AN AULD SWEETIE.

AREN'T THEY BRAW... HOWL!
CHOP!
CRIVVENS!

THAT'S YOUR ANNIVERSARY PRESENT FRAE PAW.
WHIT?
N-NO, NOT AT ALL.
AYE, IT IS.

I'M TAKING YOU OOT FOR DINNER, DEAREST.
JUST AS WELL OR THE FLOOERS MIGHT NO' HAVE BEEN THE ONLY THING HEADLESS AROOND HERE.

HEN AND JOE PEER THROUGH THE GLOOM,
TAE SEE INSIDE THE HAUNTED ROOM.

THANKS FOR MINDIN' THE BAIRN, GRANPAW. AWAY YOU AND HAE AN EARLY NIGHT NOW.
I DINNA LIKE GOING TAE BED EARLY.

SINCE MY PAL BERT PASSED OWER THERE'S BEEN A FUNNY CAULD AIR IN MY BEDROOM.
YOU THINK BERT'S HAUNTING YOU? NONSENSE!

WE'LL GO BEN THE HOOSE AND HAE A LOOK FOR YOUR GHOSTIE.

WHO'S THAT TAPPING?
I DINNA KEN BUT IT IS A BIT SPOOKY.
TAP! TAP!

I STILL HEAR TAPPING AND HIS LICHT'S NO WORKING.
HE'S GOT A WEE B-BEDSIDE L-LIGHT.

THERE'S SOMETHING THERE AND IT'S HUGE!
WITH TWA MUCKLE CLUBS!

AAARRRGH!

YOU BIG NELLIES! IT'S THE WEE DRUMMER BEAR I LEFT ON GRANPAW'S TABLE.
MICHTY! IT WIS ONLY A SHADOW.
WHIT A FLEG!

YOU PAIR O' IDIOTS - MY HOOSE IS NO HAUNTED.
WHAT ABOOT THE STRANGE CAULD AIR SINCE YER AULD PAL PASSED ON?

AYE, BERT WAS A JOINER - HE DIED BEFORE HE FIXED THE DRAUGHT COMING IN MY WINDOW.
HA! HA! WHAT A STORY.

MAGGIE BROON HAS THE LOOKS,
BUT SHE STRUGGLES WI' THE HOMEWORK BOOKS.

THE TWINS ARE NEEDIN' HELP WI' THEIR HAMEWORK.
HORACE AND HEN ARE THE ANES WI' THE BRAINS.
WHIT A NERVE! I'LL DAE IT.
JINGS! THESE MATHS ARE HARD. THE FIGURES DINNA ADD UP.
MR TWADDLE WILL GO NUTS IF OUR FIGURES ARE WRONG.
IS JASON TWADDLE YOUR TEACHER?
HE'S NO CALLED JASON, HE'S CALLED DRACULA.
SHORTLY-
OKAY IF I BRING A LAD BACK FOR TEA?
AYE, OF COURSE. SOUNDS SERIOUS.
IN AUCHENTOGLE HIGH STREET-
WOW! WHAT A FIGURE.
MAGGIE BROON! AND AS LOVELY AS EVER.
JASON TWADDLE, MY OLD SCHOOL FRIEND. COME BACK TAE GLEBE STREET FOR TEA SO WE CAN CATCH UP.
LOOK WHO I MET.
HELLO, BOYS.
ISN'T THAT A COINCIDENCE?
MR TWADDLE OOR TEACHER.
JASON, HELP THE BOYS WI' THEIR HOMEWORK WHILE I MAK' SOME COFFEE.
SURE THING.
I SORT O' USED MY FIGURE TAE HELP THE TWINS WI' THEIR FIGURES.
HA! HA! SHE'S A BLONDE BUT NO' A DUMB BLONDE.

THE FOOTBALL FANS ON THEIR BIG DAY,
SEEM TO BE HEADING GRANPAW'S WAY.

ANGLING COMPETITION

A LOT O' FOWK ARE GETTING READY TO GO TAE THE CUP FINAL.
I'LL SEE YOU ROOND AT MY ALLOTMENT IN A FEW MINUTES, LADS.
THAT'LL BE BRAW, GRANPAW.

SHORTLY-
LOOK AT A' THE FITBA FANS QUEUING UP AT GRANPAW'S ALLOTMENT.
WHAT'S THE AULD SCOUNDREL UP TAE THIS TIME? I HATE TAE THINK.

GRANPAW'S ALLOTMENT IS GOING LIKE A FAIR. HE MUST BE SELLING HIS TATTIE WINE.
WHIT? HE'S JUST BEEN IN TAE GET THE BAIRN TAE GI' HIM A HAND AT HIS ALLOTMENT.

SURELY HE'S NO USING THE BAIRN AS A BARMAID.
HE'LL GET A PIECE O' MY MIND AND A BROLLY OWER THE HEID FOR THIS.

IT'S A' FITBA SUPPORTERS RIGHT ENOUGH.
OOT O' MY WAY! THIS IS A FAMILY EMERGENCY!

RIGHT, YOU AULD ROGUE. WHAUR'S MY WEE LAMB?
SHE'S A PARTNER IN MY NEW BUSINESS.

I GROW THE LUCKY WHITE HEATHER AND THE BAIRN WI' HER NIMBLE FINGERS TIES IT INTAE POSIES.
LUCKY HEATHER

THE FITBA FANS WEAR IT FOR GOOD LUCK AT THE CUP FINAL.
THEY MUST HAE THOUGHT WE WERE UP TAE SOMETHING BEFORE THEY A' CAME HURRYING OWER, GRANPAW.
EM...ER, NOT AT ALL.

CAFE
THE BAIRN'S RIGHT. SO I'M TREATIN' HER TAE A STRAWBERRY SUNDAE BUT YOU LOT ARE OOT O' LUCK!
JINGS!

WHEN THE POET SAID 'LOVE IS BLIND',
WAS IT HORACE HE HAD IN MIND?

HAS HORACE GOT HIMSEL' A CLICK AT LAST?
MAYBE, SHE'S GIVING HIM A VALENTINE CARD.
ROSES ARE RED, VIOLETS ARE BLUE, DON'T CALL ME AND I'LL NO' CALL YOU.
AW, THE BESOM.
CHIN UP, BROTHER. PLENTY MAIR FISH IN THE SEA.
COME OOT WITH ME AND I'LL SHOW YE HOW TAE IMPRESS THE LASSIES.
HUH! LISTEN TAE ROMEO BROON.
HAVE A GO AT THIS, HORACE. GIRLS LIKE SPORTSMEN.
WILL IT NO' HURT?
HOWL! MY SPECS.
THUMP!
RELAX, YE LOOK BETTER WITHOOT THEM.
THEN-
WE'LL GET YOU SOME MODERN CLAES.
YOU'LL HAVE TAE PICK THEM. I CANNA SEE WITHOOT MY SPECS.
AWA' AND TRY THAT LOT ON.
MALE CHANGING ROOM
FEMALE CHANGING ROOM
OCH! THE BLIND BAT'S GONE INTO THE WRANG CUBICLE.
YOU WRETCH!
HORRID BOY!
HELP! JOE!
SO, DID THE JOE BROON MOVES WORK? WERE THE LASSIES CHASIN' EFTER HORACE?
WEEL, YOU COULD SAY THAT.
AYE, BUT FOR A' THE WRONG REASONS.

IN THE RUSH TO GET TO CHURCH,
DAPH AND HEN ARE LEFT IN THE LURCH.

THE BROONS ARE GOING TAE COUSIN DONNA'S WEDDING.
HURRY UP, YOU TWA. THE TAXI WILL NO WAIT MUCH LONGER AND NEITHER WILL YER MAW.
I CANNA MOVE ANY QUICKER!
THEN -
MICHTY ME! THEY HAVE GONE WITHOOT US.
OCH! I'LL HAVE TAE TAKE MY CAR NOW.
LOOK, THON MUST BE THE WEDDING.
PARK THE CAR QUICK. THE BRIDE'S GOING IN.
I CANNA SEE MAW OR PAW ANYWHERE.
IT GETS WORSE, HEN. THAT BRIDE'S NO' COUSIN DONNA.
WE'RE AT THE WRANG WEDDING.
HA! HA! I HEARD THAT. BUT YOU ARE MOST WELCOME TO MY DAUGHTER'S WEDDING.
THAT'S SO KIND. THANK YOU.
WHAT GOOD FOOD.
NICE.
TOP UP?
I SHOULDN'T - BUT I WILL.
MEANWHILE AT COUSIN DONNA'S WEDDING-
TUT! TUT! THAT'S YOUR SECOND DRINK IN FIVE HOURS, MR BROON.
FUME!
...AND MY HERNIA GOT WORSE THAN MY KNEE THEN THE FLAKY SKIN BEGAN...DRONE.
OUCH! I DON'T KNOW WHAT'S WORSE - CRUSHED TAES OR BORED TO DEATH.
LATER -
WHERE WERE YOU TWA? THAT WAS THE WORST WEDDING EVER.
WE GOT LOST AND ENDED UP AT THE WRONG WEDDING.
BUT MAYBE IT WAS THE RIGHT CHOICE AFTER ALL. HA! HA!

THIS BONNIE DAY BY THE SEA,
IS NOT TO BE A SPENDING SPREE.

AT SANDBAY-
THIS PLACE HASNAE CHANGED SINCE I CAME HERE AS A LAD.
CAN WE HIRE A BOAT?
CAN ME HAVE AN ICE CREAM?
WE'RE NO HERE TAE SPEND MONEY. I REMEMBER THERE WAS A BRAW QUIET BEACH FURTHER ALONG.
AW!
SLURP!
THIS IS IT - JUST AS I REMEMBER IT.
STRANGE IT'S SAE QUIET.
THAT'S BECAUSE THERE'S NOTHING TAE DAE.
BEATS ME WHY FOWK ALL SIT TOGETHER ON YON BUSY BEACH.
YOU'RE JUST GETTING UNSOCIABLE IN YOUR AULD AGE.
NO' TAE MENTION TOO MEAN TAE BUY AN ICE CREAM.
SHORTLY-
LOOK AT THIS, HEN. WE KEN WHY THIS BEACH IS SO QUIET.
OH, AYE. HAVE YE SPOTTED JAWS SWIMMIN' ABOOT?
HELP MAH BOAB! WAKEN UP, YOU LOT!
THE TIDE'S CUT US OFF FRAE THE BEACH.
YOU TUMSHIE HEAD! WE'RE NO WAITING HERE TILL THE TIDE GOES OOT.
JINGS! I DIDNAE REMEMBER ABOOT THIS.
I'LL PHONE THE BOAT HIRE MANNIE.
YIPPEE! WE'RE GETTING A SAIL.
IT'S £25 FOR THIS BIG BOAT.
WHIT? YE'RE ONLY TAKIN' US TWENTY YARDS.
I HOPE YOU REMEMBERED YOUR WALLET.

IT'S ENOUGH TAE MAK' A BODY FROWN,
DAPHNE BROON'S GOING WI' A CLOWN.

YO, DAPHNE! HOW'S MA LADY?
WHO'S YOUR FRIEND, SIS?
IT'S THAT CLOWN ERCHIE DOUGAL. IGNORE HIM.
I'VE GOT TICKETS TAE SEE PETER KAY BUT I'M NO ASKING YOU SINCE YOU CALLED ME A CLOWN.
OH, ERCHIE, YOU MISHEARD ME. I SAID YOU WERE LOOKING DOWN.
BUT I'LL CHEER YOU UP. COME ROOND FOR ME AT SEVEN.
THAT BESOM JUST WANTS TO SEE PETER KAY.
SHORTLY-
DAPHNE WILL YOU HELP ME PUT MAKE UP ON DOLLY?
I'M TOO TIRED, PET. I NEED A SNOOZE BEFORE THAT TWIT ERCHIE COMES FOR ME.
ZZZZ
MY BIG SISTER IS NAE FUN.
ZZZZZZ
SO I'LL PLAY WI' HER MAKE-UP.
SOON-
DAPH! IT'S ERCHIE!
YOU MUST THINK I'M A CLOWN - TAE GO OOT WI' YOU LOOKING LIKE THAT.
EH?
GOODBYE!
HA! HA!
WHAT'S HE ON ABOOT?
TAKE A LOOK IN THE MIRROR. THE BAIRN'S PUT MAKE-UP ON FOR YOU.
ME'S BEST AT CLOWN FACES.
THAT'LL TEACH YOU TAE BE TWA-FACED.

THE TWINS HAVE HEARD THE FAMILY'S TEACHING, SO TOP OF THE CLASS THEY'LL NOT BE REACHING.

EXAM TIME-
YOU HAVE ONLY TEN MINUTES LEFT TO FINISH THE EXAM.
SOON-
YOU BROON BOYS HAVE IDENTICAL PAPERS - IDENTICALLY AWFUL.
THE QUESTIONS WERE HARD, MISS.
TAKE THIS LETTER BACK TO YOUR PARENTS. I'M GOING TO GIVE YOU TWO ANOTHER EXAM ON MONDAY.
AW JINGS!
I RECOMMEND EXTRA TUITION FOR YOUR SONS.
RICHT! I'LL ARRANGE FOR LESSONS NO MATTER HOW MUCH IT COSTS.
I COULD HELP WI' GEOGRAPHY.
WE'LL A' HELP. PUT YER PURSE AWAY.
ALL WEEKEND-
RIGHT, I'VE TOLD YE ALL I KNOW.
I'M NEXT, I'LL TELL YOU ABOOT COUNTING.
THEN MY HISTORY LESSON.
MONDAY-
THIS LOOKS HOPEFUL. THEY SEEM TO HAVE LEARNED SOMETHING.
BUT-
FOUR DIVIDED BY THREE IS NOT ONE AND A BIT. S IS NOT THE CAPITAL OF SCOTLAND. TWENTY PLUS TWENTY IS NOT DOUBLE TOP. DREADFUL! WHO HAS BEEN TEACHING YOU?
OOR FAMILY, MISS.
OH HAVE THEY NOW? I THINK WE SHOULD HAVE A CHAT THEN.
NEXT EVENING-
YOU, TALL BOY - PAY ATTENTION!
AND BLONDIE, TRY TO LOOK INTERESTED.
IF YOU ARE TEACHING THE TWINS I'LL HAVE TO TEACH YOU.
YES, MISS.
TEACHER'S BEING NICE TAE US - SHE SEES OOR PROBLEM.

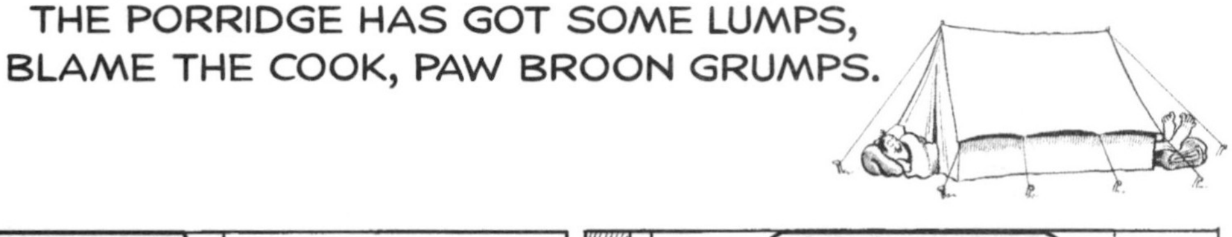
THE PORRIDGE HAS GOT SOME LUMPS,
BLAME THE COOK, PAW BROON GRUMPS.

SORRY ABOOT THE LUMPS IN THE PORRIDGE BUT MY AULD COOKER IS PLAYING UP.
TCH! IT'S A BAD WORKMAN THAT BLAMES HIS TOOLS.
UH-OH!
GASP!
YOU'RE ON THE DINNER, CHUM. THERE'S A CHICKEN IN THE FRIDGE.
WHAT DID I SAY WRANG?
I'LL SHOW THEM, MAW'S RECIPES ARE HERE. NOW, POULTRY...
DINNER TIME-
DINNER IS SERVED. CHICKEN WI' A MUSTARD SAUCE.
THAT SOUNDS AWFY POSH.
IS IT COOKED?
IT LOOKS DEID ANYWAY.
AYE, BUT YOUR FAITHER IS TRYING TO MAK' IT BETTER.
WHAT DAE YOU MEAN, WUMMAN?
YOU'VE USED MY RECIPE FOR A MUSTARD POULTICE , YE DAFT GOWK!
HA! HA!
YEUCH!
ER, DINNAE WORRY, I'VE AN APPLE CRUMBLE IN THE OVEN.
BANG!
SOUNDS MAIR LIKE MY OVEN CRUMBLING.
NEXT MORNING-
THIS PORRIDGE IS PERFECT, MY PET.
SO IS THIS NEW COOKER YOU BOUGHT, MY PRECIOUS.
MONEY WELL SPENT, PAW.

TAE LECTURE GRANPAW BROON IS AIMLESS,
THE AULD ROGUE IS ABSOLUTELY SHAMELESS.

MONEY'S REALLY TIGHT THE NOO.
AYE, I SEE THE PAWN SHOP IS MAKIN' A COMEBACK.
PAWN
LOOK, JOE - A SET O' FALSE TEETH.
IN THE NAME O' THE WEE MAN!
HOW HARD UP MUST YE BE TAE SELL YER GNASHERS.
AMAZIN'!
THATSH EASHY FOR YOU TAE SHAY - YOU'RE NO LIVIN' ON A PENSHION.
GRANPAW! THEY'RE YOUR TEETH? MICHTY ME!
AWA' YOU AND BUY THEM BACK.
IF YOU'RE NEEDIN' MONEY COME TAE US - DINNA SELL YER TEETH.
I'M BLACK AFFRONTED! MY AIN GRANDFAITHER.
WE'LL NO SAY ANOTHER WORD ABOOT THIS, OKAY?
LIKE TAKIN' CANDY FRAE TWA BAIRNS.
REPAIRS
I WASH GOING TAE SHAY THEY'RE NO MY FALSH TEESH.
SPEEDY DENTAL REPAIRS
THAT'S BETTER, MINE WERE IN FOR REPAIR.

MY TREAT TH' DAY, BOYS. I'VE HAD A WEE BIT O' LUCK.

TEA AND A BRIDIE? YE MUST'VE WON THE LOTTERY, BROON.
NAW, JUST A WEE VISIT FRAE THE TOOTH FAIRY. HA! HA!

WITH LITTLE BABIES PAW'S NO' FAZED,
FOR EIGHT BRAW BROONS HE HAS RAISED.

YOUR TEA'S NO' READY YET, PAW. MAGGIE'S LOOKING EFTER HER PAL'S BABY AND WE DIDNAE NOTICE THE TIME.
NAE BOTHER. YOU KEN I LIKE BABIES.
I'VE BEEN AT THE FAIR ON THE GLEBE. THERE'S A BINGO STALL JUST ABOOT TAE START. LET'S GIE IT A GO.
I CANNA, I'M BABY MINDING TILL SEVEN.
AWA' YOU WOMEN GO - I CAN LOOK EFTER ONE BABY. I BROUGHT UP EIGHT, REMEMBER.
SINGLE HANDED NAE DOUBT.
HE MIGHT NEED A NAPPY CHANGE.
LASSIE, I'VE CHANGED THOOSANDS O' NAPPIES. I COULD DAE IT IN MY SLEEP.
I'LL PUT ON THE BEST NAPPY YOU'VE EVER HAD, MY LAD.
THE SECRET IS TAE USE TONS O' COTTON WOOL TAE MAKE THE NAPPY COMFY. I COULD GIE LESSONS IN THIS.
SHORTLY-
EVERYTHING OKAY, PAW?
AYE, HE'S A HAPPY CHAPPIE. WHEN I PUT ON A NAPPY IT DISNAE FALL OFF.
YOU'VE FINISHED MAH CANDY FLOSS. I HOPE YOU DIDNAE FEED IT TAE THE BABY?
CANDY FLOSS? I THOUGHT IT WAS COTTON WOOL. I USED IT TAE PUT THE NAPPY ON.
MUTTER! CANDY FLOSS SHOULD BE ON STICKS.
HA! HA! HE'S RICHT, IT'LL NO' FALL OFF.
HA! HA! IT'LL BE STUCK ON LIKE GLUE.
I'LL NEED TAE SOAK THE NAPPY OFF! EXPERT INDEED!

GRANPAW WOULD BE VERY REMISS,
IF HE FORGETS WHAT DAY THIS IS.

WHAT ARE YE DAEIN, GRANPAW.
BRAIN TRAINING TAE KEEP MY MEMORY SHARP.

WHAT'S MRS WEBSTER'S POSTCODE?
PK5 7ZZ!
YOU'VE A GUID MEMORY RICHT ENOUGH, FAITHER

I'LL MAK' YOU A CUPPA FOR THAT.
THERE'S A FRUIT SLICE LEFT FRAE YESTERDAY.
TOO GUID A MEMORY.

WHERE WAS THIS PHOTO TAKEN, GRANPAW?
ROTHESAY 1977. I GIED YOU MONEY FOR THE FERRY AND YOU NEVER PAID ME BACK.

IT PAYS TAE HAVE A GOOD MEMORY.
MUTTER! HE TOOK THE MONEY BACK EFTER A' THAT TIME.

HAVE YOU NO GOT SOMEWHERE TAE GO?
KICKIN' ME OOT JUST BECAUSE I TOOK SOME CASH AFF YE. TUT! TUT!
SUNDAY POST

OF COURSE A MAN WI' YOUR MEMORY WIDNAE FORGET BUT THE POPPY IS A CLUE.
EH?

HELP MA BOAB! YOU'RE RICHT!
TAK' IT EASY, YOU'VE PLENTY TIME.

IT WOULD HAE BEEN OOR FAULT IF HE HAD FORGOTTEN REMEMBERANCE SUNDAY.
AYE, LIKELY.

WILL A WEE BOAT AND A CREW,
MAK' MAW BROON'S DREAM COME TRUE?

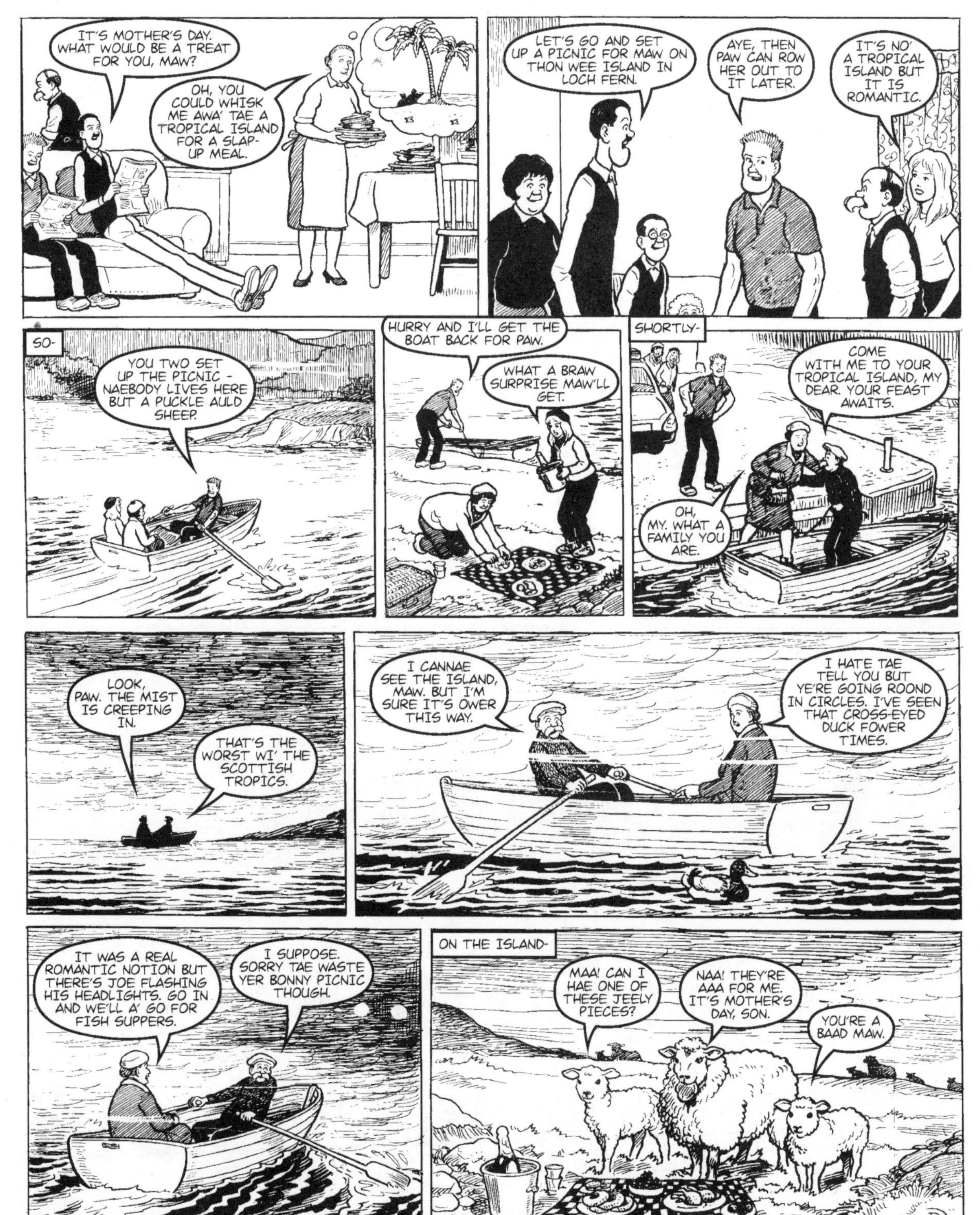

IT'S MOTHER'S DAY. WHAT WOULD BE A TREAT FOR YOU, MAW?
OH, YOU COULD WHISK ME AWA' TAE A TROPICAL ISLAND FOR A SLAP-UP MEAL.
LET'S GO AND SET UP A PICNIC FOR MAW ON THON WEE ISLAND IN LOCH FERN.
AYE, THEN PAW CAN ROW HER OUT TO IT LATER.
IT'S NO' A TROPICAL ISLAND BUT IT IS ROMANTIC.
SO-
YOU TWO SET UP THE PICNIC - NAEBODY LIVES HERE BUT A PUCKLE AULD SHEEP.
HURRY AND I'LL GET THE BOAT BACK FOR PAW.
WHAT A BRAW SURPRISE MAW'LL GET.
SHORTLY-
COME WITH ME TO YOUR TROPICAL ISLAND, MY DEAR. YOUR FEAST AWAITS.
OH, MY. WHAT A FAMILY YOU ARE.
LOOK, PAW. THE MIST IS CREEPING IN.
THAT'S THE WORST WI' THE SCOTTISH TROPICS.
I CANNAE SEE THE ISLAND, MAW. BUT I'M SURE IT'S OWER THIS WAY.
I HATE TAE TELL YOU BUT YE'RE GOING ROOND IN CIRCLES. I'VE SEEN THAT CROSS-EYED DUCK FOWER TIMES.
IT WAS A REAL ROMANTIC NOTION BUT THERE'S JOE FLASHING HIS HEADLIGHTS. GO IN AND WE'LL A' GO FOR FISH SUPPERS.
I SUPPOSE. SORRY TAE WASTE YER BONNY PICNIC THOUGH.
ON THE ISLAND-
MAA! CAN I HAE ONE OF THESE JEELY PIECES?
NAA! THEY'RE AAA FOR ME. IT'S MOTHER'S DAY, SON.
YOU'RE A BAAD MAW.

TO CATCH A YOUNG FARMER'S EYE, DAPHNE GIVES SHEPHERDING A TRY.

THE BROONS ARE AT THE BUT AN' BEN.
HELP ME CATCH THIS EWE, FOLKS.
ANYTHING FOR YOU, DONAL.
I CANNA HOLD IT.
WELL DONE, DAPHNE.
IT'LL NO DRAG DAPHNE ABOOT.
KING KONG COULDN'T DRAG DAPHNE ABOOT.
WHAT A MESS I'M IN. CAN I BORROW THAT REALLY EXPENSIVE SHAMPOO YOU GOT, MAGGIE?
PHEW, SIS. YOU'RE NEEDING IT.
SOON-
THAT BESOM, SHE'S USED A' MY SHAMPOO.
MY SHAMPOO IS ALL GONE AND YER HAIR IS STILL A MESS!
OH, THE SHAMPOO WISNAE FOR ME.
YOU'RE USING MY SHAMPOO ON A SHEEP!
DONAL'S EWE IS GOING TO THE HIGHLAND SHOW.
SHE'S WORTH IT, MAGGIE.
AT THE HIGHLAND SHOW-
FIRST PRIZE GOES TO DONAL FOR HIS EWE BONNIE MAGGIE.
THAT'S SO COOL - THEY NAMED HER AFTER ME.
I LOVE EWES, DAPHNE.
I LOVE YOUS TOO, DONAL.
SO THERE'S TWO BONNIE MAGGIES.
IT'S HARD TAE TELL THEM APART.

WITH A MERRY HI-HO! HI-HO!
IT'S OFF TO CASUALTY WE GO.

WE'RE AWAY TO THE SHOPS. MIND AN' KEEP THE BAIRN AMUSED.
AYE . . . AYE. NAE PROBLEM.

ME'S GONNA PLAY AT SNOW WHITE.
THAT'S GOOD, PET.

AND YOU MEN HAVE TAE BE THE SEVEN DWARVES.
WHIT?

COME ON, PAW, YOU TOO. DINNA BE A SPOILSPORT.
I'LL HAE TAE GO DOON ON A' FOURS.
AT LEAST I'VE GOT THE BEARD FOR IT.

OCH. ALL RIGHT, THEN.
COME ON, IT'S AFF TAE WORK WE GO.

BUT THEN . . .
OOH! I'VE PIT MY BACK OOT!
JINGS. YE'LL NO' BE MUCH USE DOON THE DIAMOND MINE.

OOTSIDE . . .
HO-HO! WHIT A BIG BAIRN.
HE WAS PLAYIN' AT SNOW WHITE AN' HER GANG.

AND . . .
HI-HO, MISTER BROON. WE'LL SOON SORT YOU OUT.
DINNA BE GRUMPY, NOO, PAW.
OCH!

GRUMPY MCSPORRAN AND HIS RABBIT, MAKES GRANPAW BROON VERY CRABBIT.

YOU TWA WILL GET INTAE TROUBLE YET, WITH A' YOUR FIGHTING.
YOU SHOULD TAKE AN EXAMPLE FRAE ME, AND KEEP A CALM SOOCH!

THEY CAN DIG MY ALLOTMENT. THAT'LL KEEP THEM OOT O' TROUBLE.
THANKS, GRANPAW.

LOOK, GRANPAW - THERE'S A RABBIT IN YOUR ALLOTMENT.
MICHTY! CATCH IT LADS BEFORE IT EATS MY PRIZE CABBAGES.
MUNCH

IT'S GOT A COLLAR ON!
GOT IT!

IT BELONGS TAE ANDREW MACSPORRAN.
WHIT? MACSPORRAN HAS THE ALLOTMENT NEXT TAE MINE.

YE AULD CHEAT - YOU SENT YER RABBIT IN TAE EAT MY BEAUTIFUL CABBAGE AFORE THE ALLOTMENT COMPETITION.
RUBBISH! MY RABBIT DISNAE EAT WEEDS!

TWA CAN PLAY YOUR GAME - HERE'S A HANDFUL O' CATERPILLARS FOR YOUR CABBAGE.
THAT'S NO' PLAYIN FAIR, BROON.

I'LL BEAT YOU AND YER CABBAGES, YOU AULD CROOK.
I'LL BOX YOUR EARS, TUMSHIE HEID.

DISTURBING THE PEACE AT YOUR AGE.
AW, JINGS!
SOME EXAMPLE TAE MY LADDIES YOU ARE.
WE'LL COME AND VISIT YE IN PRISON, GRANPAW.

PAW'S HEART WI' PLEASURE FILLS,
AT THE HOST OF DAFFODILS.

MICHTY! WHIT'S HAPPENED TAE YE, PAW? HAE YE HAD AN ACCIDENT?
P-P-POTHOLES! HUNNERS O' THEM.
PUIR PAW'S A' SHAKY.
I HIT THE BIGGEST ANE YET AN' JIST ABOOT WENT THROUGH THE ROOF O' THE CAR. IT NEAR DISLOCATED MY FALSE TEETH, AN' BROKE A' THE FERM EGGS I WIS BRINGIN' HAME.
CRUNCH!
I'M GONNAE SUE THE TOON COONCIL. I'LL...
IT'S NO' YOUR DAY, PAW. THON TRAFFIC WARDEN'S GIEN YE A TICKET FOR NO' BEIN' PARKED RICHT IN THE BAY.
WHIT? THAT'S JIM MURPHY – THE JUMPED UP WEE TOAD! I'M NO' STANDIN' FOR THIS.
HOW CAN YE DAE THIS TAE ME, JIM? I CANNAE PARK RICHT IN THE BAY BECAUSE O' A' THAE POTHOLES. ONYBODY CAN SEE IT'S NO' MY FAULT. THEY'RE DEEP ENOUGH TAE PLANT TATTIES IN. ADMIT IT, MAN. ADMIT IT.
MEBBE AYE, MEBBE NO. BUT RULES IS RULES, BROON.
I'M JIST DAEIN' MY JOB – AN' I LOVE IT. HAE A GUID DAY. HA! HA!
GUID DAY? GUID DAY? I'LL GIE YE...

AAAAARRRG!!

YE WERE RICHT, BROON. THAE POTHOLES ARE AWFY DEEP. D'YE THINK YE COULD GIE ME A WEE HAUND TAE GET OOT O' HERE?
MEBBE AYE, MEBBE NO. LET ME THINK A MEENIT.

I READ ABOOT SOME FOWK IN LOCHRANZA WHA PLANTED DAFFIES IN THEIR POTHOLES TAE SHAME THE COONCIL. WHIT DAE YE THINK O' THAT, LADS?
GUID IDEA, PAW.
DINNAE LEAVE ME HERE, BROON. YE WERE RICHT. I ADMIT IT.

OH, MY. WHIT NICE. IT'S JIST LIKE THON BEECHGROVE GAIRDEN.
A BIT DEEPER, DAPHNE. WE DINNAE WANT THEM TAE FA' OWER.
ME LIKES THE BONNIE FLOO'ERPOT HOLES.
THAT'S THE TICKET, PAW. THE PERFECT PLACE TAE PARK MAW'S PRIZE DAFFS.
AN' WHILE YE'RE SAFE IN THERE, MURPHY, SOME ITHER PUIR SOWEL MICHT BE SPARED ANE O' YOUR TICKETS.

HEN WOULD LIKE TAE IMPRESS THE GIRLS,
IN A HIGHLAND KILT THAT TWIRLS.

ARE YOU ENTERING FOR THE AUCHENTOGLE HIGHLAND GAMES, JOE?
AYE, THE LASSIES LIKE THE STRONG LADS THAT DO THE HIGHLAND GAMES.

DINNA EVEN THINK ABOOT IT, HEN.
SIGH!

HIGHLAND GAMES DAY-
ARENA
I'LL DRIVE RIGHT UP TO THE RING AND OFFER THE LASSIES A SEAT IN MY CAR IF IT RAINS.

CRUNCH!!
JINGS! WHAT WAS THAT?

ACH! YE'VE BROKEN MAH CABER.
S-SORRY.

I'VE BEEN USING THAT CABER SINCE I WAS THREE!
GLAD IT WASNAE YOUR NEW ANE THEN.

OUR NEXT COMPETITOR IS ANGUS MCMUSCLE WITH A NOVELTY CABER.

WAAAAAAA

LUCKY YOUR HEID IS FINE AND THICK, BROON.
CRUMP!

WHACK!!
POOR HEN, DOES IT HURT MUCH?
YOU GREAT BULLY!
JOE WAS RICHT. YOU DO MEET LASSIES WHEN YOU TAK' PART IN THE GAMES.

DAPH'S A LASS YOU MUST NOT DOUBT,
FOR SHE PACKS A MIGHTY CLOUT.

NEW LAD, DAPHNE? HE LOOKS A BIT SHIFTY.
THAT'S BLAIR - HE'S GOOD AT NO' GETTING SPOTTED.

LATER-
I'M AWA' TAE MEET BLAIR.
IT'S AWFY LATE TO BE GOING OOT.
YOU LOOK A' SCRUFFY.
AND YOU'VE NAE MAKE-UP ON.

JINGS! I CANNA FORGET MY MAKE-UP.
ER...DO YOU WANT A HAND WI' THAT, DAPH?

DAPHNE'S ACTING AWFY SUSPICIOUS LIKE.
I DIDNAE LIKE THE LOOK O' HER SHIFTY NEW LAD.
MAYBE THERE'S GOING TAE BE RIOTS IN AUCHENTOGLE.

RIOTS? MY WEE LASSIE? I'M GOING EFTER HER.

HELP MAH BOAB! THEY'RE GOING INTAE AUCHENTOGLE HOUSE. IT'S FULL O' VALUABLE STUFF.
BE QUIET AS A MOUSE, DAPHNE.

RIGHT YOU TWA - STOP RIGHT THERE! DAPHNE'S COMING HAME WI' ME OR I'M PHONING THE POLIS.
PAW!
PUT THAT LIGHT OUT. YOU'RE SCARING EVERYTHING.

YOU IDIOT! BLAIR'S A NATURALIST AND WE WERE ON BADGER WATCH UNTIL YOU SCARED AWAY EVERY BADGER THIS SIDE O' THE CLYDE!
STEADY ON, DAPHNE. YOU WIDNAE HIT YER AIN FAITHER.

WHAUR IS THE INTERFERING AULD GOAT?
HE'S HIDING IN HIS DEN - A BIT LIKE THE BADGERS.
QUAKING IN HIS BOOTS.

GRANPAW BROON'S BARGAIN ARRIVES, WHIZZING DOON FRAE THE SKIES.

LOOK, PAW. YOU CAN BUY A NEW BUNNET AFF THE INTERNET.
THIS WEBSITE HAS FIFTY DIFFERENT STYLES.

ORDER ME UP THON BROONS TARTAN JOB THEN, HORACE.
IT'LL ONLY TAK' ME FOUR CLICKS, PAW.
HUMPH!

I ORDERED THIS HAT YESTERDAY AND IT ARRIVED TODAY.
AYE, INTERNET SHOPPING IS THE THING.
HUMPH!

YOU'LL BE PUTTIN' AUCHENTOGLE'S WEE BUNNET SHOPS OUT O' BUSINESS.
AUCHENTOGLE'S LAST HAT SHOP CLOSED WHEN PAW HAD A FULL HEAD O' HAIR.

ANYWAY, I'M PUTTIN' ON MY GAIRDENING BUNNET AND GOING TAE TIDY UP MY ALLOTMENT.

THEN-
IT'S TOO COLD AND WINDY FOR AN OPEN TOP BUS TOUR, ELMER.
AUCHENTOGLE TOURS

I CAME ALL THE WAY FROM THE STATES TO SEE AUCHENTOGLE, DAISY. SO SEE IT I WILL.

HOWL! MY NEW STETSON!
YOU'VE NOBODY TO BLAME BUT YOURSELF!

I'LL PUT THINGS BY FOR THE WINTER. JINGS! WHIT'S THIS?

AYE-AYE! A NEW HAT. YOU MUST HAE GOT IT ON THE INTERNET.
ACTUALLY, I GOT IT FRAE THE STRAWBERRY NET!
YE AULD COWBOY! IT FAIR SUITS YOU, GRANPAW.

GRANPAW THINKS HIMSELF A COOK,
HIS RECIPES NOT FRAE ONY BOOK.

IT'S WINTER NOW THE CLOCK'S GONE BACK.
WE'LL NEED TAE CHECK THAT GRANPAW KEEPS HIS FEET WARM.
AND AYE HAS A HOT MEAL.

I'LL LOOK IN ON THE AULD ROGUE ON MAH WAY TAE THE SHOP.

GRANPAW! WHIT'S HAPPENED? YOUR FEET ARE SOAKIN'.
I'M LOOKIN' EFTER WATTY AITCHISON'S PUP AND IT FELL IN THE BURN.
SQUELCH!

MAW'LL GIE YOU SIC A ROW FOR GETTIN' WET FEET.
HUMPH! TELL HER TAE MIND HER AIN FEET.

BUT, SHORTLY-
I HEAR YER WELLIES ARE SOAKED. YOU SHOULD KEN BETTER AT YOUR AGE.
YOU'RE A CLIPE, DAPHNE.

AND YOU'LL NO HAE A HOT MEAL MADE.
MAH WELLIES WILL BE WARM AN' DRY IN TWA MINUTES.

TING!
AND A MEAL READY TAE.

OH MICHTY! HE'S HAD HIS WELLIES IN THE MICROWAVE.
WARM AS TOAST NOO.
I DINNA BELIEVE MY EYES.

AND I'VE BAKED SOME SPUDS.
BAKED IN HIS WELLIES!
YEUCH!

ARE YE NO STAYIN' FOR DENNER? HA! HA!
THE MAIR YOU WORRY ABOOT HIM THE WORSE HE GETS!

MUDPAC

PAW'S CUTTING BACK ON HOUSEHOLD FUEL,
ECONOMY IS HIS GOLDEN RULE.

JINGS. IT'S CAULD IN HERE. LIKE SIBERIA.
AYE. PIT THE CENTRAL HEATIN' ON, SOMEBODY. AN' THE ELECTRIC BLOWERS, TAE. JIST UNTIL THE PLACE HEATS UP.
GUID IDEA. AH'LL GET THEM.

HING ON. THE GAS AN' ELECTRIC BILLS ARE NEAR THROUGH THE ROOF, SO NAE CENTRAL HEATIN' UNTIL DECEMBER. YE CAN WEAR EXTRA JERSEYS AN' SOCKS IF YE'RE CAULD.
NEXT HE'LL BE TELLIN' US TAE HUDDLE ROOND THE LAMPS F'R HEAT.

AN' ANITHER THING, THERE'S FAR OWER MONY LICHTS ON IN HERE. IT'S BAD F'R THE ENVIRONMENT. SAVE POWER AN' SAVE THE WORLD.
SAVE HIM PITTIN' HIS HAUND IN HIS POCKET, MAIR LIKE.
IT'LL BE COATS AN' CANDLES NEXT.

THAT'S BETTER. CANDLES GIE AFF LICHT AN' HEAT. WI' A BIT O' PLANNIN' WE CAN CUT OOT FUEL BILLS A' THE GITHER. THAT'LL SHOW THE GOVERNMENT!
YE AND YER BIG MOOTH, HEN. EVERY TIME YE OPEN IT YE PIT AN IDEA IN HIS HEID.
WE'LL BE OWER CAULD TAE SLEEP THE NICHT.

NO' IF WE GO OOT F'R A BRISK WALK AFORE BED. THAT'LL HEAT US A' UP AN' GET THE CIRCULATION GOIN'. WE'LL SLEEP LIKE BAIRNS.
YE'VE DONE IT AGAIN, HEN!

JIST LOOK AT A' THE LICHT AN' HOT AIR POURIN' OOT O' THAE HOOSES. WHIT A WASTE O' MONEY.
THERE'S MAIR HOT AIR COMIN' OOT O' YOU. NEXT YE'LL BE . . .

NO' ANITHER WORD, HEN BROON. YE'LL GIE HIM IDEAS AGAIN. JIST GET YER HOOSE KEYS OOT. WE'RE NEARLY HAME.
BUT I DIDNAE BRING MA KEYS.

ME NEITHER.
NOR ME. AH THOCHT PAW HAD HIS.
JINGS. AH MUST HAE LEFT THEM IN MY WORK JACKET.
WELL, WE CANNAE SLEEP IN THE STREET A' NICHT.

THAT'LL BE FOUR ROOMS AT SIXTY POUNDS EACH, SIR. BREAKFAST INCLUDED.
GUID JOB YE HAD YER WALLET, PAW.
AYE. BUT THIS HAS PIT HIS GAS DOON TAE A PEEP, RICHT ENOUGH.

IT SEEMS THE BROONS HAE PLANS AFOOT,
TAE WARM THINGS UP - INSIDE AND OOT.

THEY'RE AT THE BUT AN' BEN.
KEEP THAT DOOR SHUT, WILL YE? IT'S FREEZIN' IN HERE.
YE'LL NO' BE CAULD FOR LONG, MAW. WAIT 'TIL YE SEE WHIT'S ARRIVIN' THE DAY.
IT'S A WOODBURNIN' STOVE TAE WARM THE COCKLES O' YER HEART.
OH, PAW.
IT'S EVEN BIGGER THAN THE ANE IN GRANPAW'S ALLOTMENT SHED. HEAVIER, TAE.
AN' SIMPLE TAE INSTALL. WHIT A DIFFERENCE ALREADY.
NAE MAIR CAULD TOES IN HERE. IT HEATS THE ROOM, THE RADIATORS AND THE HOT WATTER.
BUT -
MICHTY, IT'S NO' JIST HOT, IT'S BILIN'. I'LL HAE TAE OPEN THE DOOR A WEE MINUTE AFORE THE BAIRN MELTS.
JINGS! THIS COULD THAW A' THE FITBA' GROONDS IN SCOTLAND.
IF WE TOOK SOME SNOW INSIDE, WE COULD PRETEND IT WIS A SAUNA.
AYE, BUT WE CANNAE SIT OR EAT IN THE HOOSE. IT'S OWER HOT.
YE'LL HAE TAE DAE SOMETHIN', PAW.
ACH, SOME FOWK ARE NEVER HAPPY.
FIRST IT'S OWER CAULD, THEN IT'S OWER HOT. WELL, I'LL SORT THINGS FOR YE ONCE THE STOVE COOLS DOON. DIG OOT THON AULD PIPES AN' STUFF FAE THE ATTIC, LADS.
SO -
I KENT THESE WID COME IN HANDY. PASS ME ANITHER LENGTH, HEN.
HURRY UP. IT'S FREEZIN' AGAIN.
THERE YE ARE. THAT'S A BRAW HEAT COMIN' AFF THE RADIATOR.
AN' THE WATTER'S PIPIN' HOT AN' A'. BUT WE'RE NO' MELTIN'.
A'BODY'S HAPPY NOW.
EVEN THE BEASTIES.
AYE. I'LL BET WE'RE THE ONLY HOOSE IN SCOTLAND WI' OOTSIDE CENTRAL HEATIN'.

TAE THE FAMILY HE HAUDS SAE DEAR,
GRANPAW BRINGS A GUID NEW YEAR.

WE'VE NAE MONEY LEFT FOR OOR NEW YEAR PARTY.
WE COULD SEND MAGGIE TAE CHAT UP THE BANK MANAGER AGAIN.
SHE STOOD HIM UP LAST TIME. HE'S IN THE HUFF.
HE MIGHT FEEL SORRY FOR A PENSIONER LIKE GRANPAW.
I'M A'READY WORKING FOR THE BANK TODAY - AND I'LL BE GETTIN' A BANKER'S BONUS.
WOW! A BANK BONUS COULD BE MILLIONS.

THE BANK'S NO OPEN THE DAY?
I'M IN THE BOARDROOM WI' THE DIRECTORS.
GRANPAW MUST BE RICHT IMPORTANT.

LATER, AT THE BANK -
I DIDNAE MENTION I WAS JIST SERVIN' AT THE BANKER'S PARTY.

THANK YOU FOR THIS, MR BROWN. YOU WILL CLEAR UP AFTER US, WON'T YOU?
YOU CAN RELY ON ME.

CHEER UP, YOU LOT. I'M HERE WI' MAH BANK BONUS.

A' THE GOODIES THAT THE BANKERS NEVER WANTED.
WE CAN HAE A PARTY.

HAPPY NEW YEAR
HAPPY NEW YEAR TAE ANE AND A'.
YE'RE AN AULD DARLIN', GRANPAW.